J

Né en Argentine en 1898, de famille juive, Joseph Kessel passe une partie de son enfance en Russie, avant de venir à Paris poursuivre des études qu'il interrompt en 1916 pour s'engager dans l'aviation. Son expérience de la guerre, ses voyages et ses séjours à l'étranger (aux États-Unis et en Asie), ses incursions dans les bas-fonds de Paris sont à l'origine de premiers récits, reportages et romans, parmi lesquels *L'équipage* (1923) et *Fortune carrée* (1930). Aux côtés des républicains lors de la guerre d'Espagne, il est correspondant de guerre pendant le second conflit mondial, avant de rejoindre les Forces françaises libres. Une aventure dont se ressent son œuvre, où s'expriment dès lors fraternité et compassion à l'égard du prochain : désormais enrichie du *Chant des partisans*, écrit avec Maurice Druon, elle se veut, comme l'indique l'un de ses titres, celle d'un *Témoin parmi les hommes* (1956). *Le lion* (1958), qui restera son plus grand succès, montre qu'après *Belle de jour* (1928), il sait faire place à la rêverie et à l'innocence. En 1963, il est élu à l'Académie française. Continuant à arpenter le monde dans les dernières années de sa vie, il laisse, avec *Les cavaliers* (1967), un document sur les mœurs encore malconnues des Afgans. Il s'éteint en 1979, à Avernes (Val-d'Oise), léguant à la postérité une œuvre riche d'environ 80 volumes.

L'ARMÉE DES OMBRES

DU MÊME AUTEUR
CHEZ POCKET

L'ARMÉE DES OMBRES
FORTUNE CARRÉE

JOSEPH KESSEL
de l'Académie française

L'ARMÉE DES OMBRES

POCKET

Pocket, une marque d'Univers Poche,
est un éditeur qui s'engage pour la préservation
de son environnement et qui utilise du papier fabriqué
à partir de bois provenant de forêts gérées
de manière responsable.

ISBN : 978-2-266-11500-1

PRÉFACE

Il n'y a pas de propagande en ce livre et il n'y a pas de fiction. Aucun détail n'y a été forcé et aucun n'y est inventé. On ne trouvera assemblés ici, sans apprêt et parfois même au hasard, que des faits authentiques, éprouvés, contrôlés et pour ainsi dire quotidiens. Des faits courants de la vie française.

Les sources sont nombreuses et sûres. Pour les caractères, les situations, la souffrance la plus nue et pour le plus simple courage, il n'y avait qu'un tragique embarras du choix. Dans ces conditions l'entreprise semblait des plus faciles.

Or, de tous les ouvrages que j'ai pu écrire au cours d'une vie déjà longue, il n'en est pas un qui m'ait demandé autant de peines que celui-là. Et aucun ne m'a laissé aussi mécontent.

Je voulais tant dire et j'ai dit si peu.

-:-

La sécurité était naturellement le premier obstacle. Ses droits majeurs enchaînent celui qui veut raconter la résistance sans romanesque et sans même faire appel à l'imagination. Ce n'est pas que le roman ou la poésie peignent moins vrai qu'un récit attaché à la réalité. Je crois plutôt le contraire. Mais nous sommes en pleine horreur, au milieu du sang tout vif. Je ne me suis pas senti le droit ou la force de dépasser la simplicité de la chronique, l'humilité du document.

Il fallait donc que tout fût exact et de la manière la plus scrupuleuse. Une seule couleur fausse risquait de donner un ton Saint-Sulpice à des tableaux de lutte sacrée.

Il fallait que tout fût exact et, en même temps, que rien ne fût reconnaissable.

À cause de l'ennemi, de ses mouchards, de ses valets, il fallait maquiller les visages, déraciner les personnes et les planter ailleurs, mélanger les épisodes, étouffer les voix, dénouer les liens, dissimuler les secrets d'attaque et de défense.

On ne pouvait parler librement que des morts (quand ils n'avaient ni famille ni amis menacés) ou des histoires qui sont en France tellement familières qu'elles n'apprennent plus rien à personne.

Les pistes sont-elles assez enchevêtrées, effacées ? Ne va-t-on pas reconnaître celui-ci, celle-là ? Telle est la crainte qui sans cesse a suspendu ou gêné ma main. Et quand elle était apaisée, quand je pensais avoir pris toutes les précautions voulues, naissait une autre anxiété. Je me demandais alors : « Suis-je encore dans la vérité ? Ai-je transposé selon une juste équivalence les origines, les habitudes, les professions, les rapports de famille ou de sentiment ? » Car un acte n'a plus du tout le même caractère, la même valeur ou le même sens, s'il est accompli par un riche ou un pauvre, un célibataire ou un père de six enfants, un vieillard ou une jeune fille.

Et quand je croyais avoir à peu près réussi dans cette substitution, j'étais pris d'une amère tristesse. Il ne restait plus rien de cet homme, de cette femme que j'aimais, que j'admirais, de qui j'aurais voulu raconter la vie ou la mort sous le nom, sous le visage véritables. Alors j'essayais de reproduire au moins le son d'un rire ou la qualité d'un regard ou le chuchotement d'une voix.

-:-

Telle était la difficulté première. Évidente. Et pour ainsi dire d'ordre matériel. Mais les gênes évidentes et matérielles ne sont jamais les plus lourdes à porter. Un autre tourment m'a poursuivi tandis que j'écrivais ces pages. Il n'avait rien à voir avec les exigences de la sécurité. Il était d'ordre personnel.

Sans aucune fausse modestie, j'ai senti tout le temps mon infériorité, ma misère d'écrivain devant le cœur profond du livre, devant l'image et l'esprit du grand mystère merveilleux qu'est la résistance française.

Quel est l'écrivain qui, essayant de peindre un paysage, une lumière, un personnage ou une destinée, n'a subi l'assaut du désespoir ? Lequel ne s'est pas senti infidèle aux couleurs de la nature, à l'essence de la clarté ? Au-dessus ou au-dessous de l'être humain ? À côté de la trame du sort ?

Qu'est-ce donc quand il s'agit de raconter la France, une France obscure, secrète, qui est neuve pour ses amis, pour ses ennemis et neuve surtout pour elle-même ?

La France n'a plus de pain, de vin, de feu. Mais surtout elle n'a plus de lois. La désobéissance civique, la rébellion individuelle ou organisée sont devenues devoirs envers la patrie. Le héros national, c'est le clandestin, c'est l'homme dans l'illégalité.

Plus rien n'est valable de l'ordre imposé par l'ennemi et par le Maréchal. Plus rien ne compte. Plus rien n'est vrai. On change de domicile, de nom, chaque jour. Des fonctionnaires, des policiers aident les insoumis. On trouve des complices jusque dans les ministères. Prisons, évasions, tortures, attentats, coups de main. On meurt et on tue avec naturel.

La France vivante, saignante, est toute dans les profondeurs. C'est vers l'ombre qu'elle tourne son visage inconnu et vrai. Peuple qui, dans les catacombes de la révolte, forme sa lumière et trouve sa propre loi.

Jamais la France n'a fait guerre plus haute et plus belle que celle des caves où s'impriment ses journaux libres, des terrains nocturnes et des criques secrètes où elle reçoit ses amis libres et d'où partent ses enfants libres, des cellules de tortures où malgré les tenailles, les épingles rougies au feu et les os broyés, des Français meurent en hommes libres.

Tout ce qu'on va lire ici a été vécu par des gens de France.

Mon seul souhait est de ne pas avoir rendu avec trop d'infidélité leur image.

1

L'ÉVASION

Il pleuvait. La voiture cellulaire montait et descendait lentement la route glissante qui suivait les courbes des collines. Gerbier était seul à l'intérieur de la voiture avec un gendarme. Un autre gendarme conduisait. Celui qui gardait Gerbier avait des joues de paysan et l'odeur assez forte.

Comme la voiture s'engageait dans un chemin de traverse, ce gendarme observa :

— On fait un petit détour, mais vous n'êtes pas pressé, je pense.

— Vraiment pas, dit Gerbier, avec un demi-sourire.

La voiture cellulaire s'arrêta devant une ferme isolée. Gerbier ne voyait, par la lucarne grillagée, qu'un bout de ciel et de champ. Il entendit le conducteur quitter son siège.

— Ce ne sera pas long, dit le gendarme. Mon collègue va prendre quelques provisions. Il faut se débrouiller comme on peut par ces temps de misère.

— C'est tout naturel, dit Gerbier.

Le gendarme considéra son prisonnier en hochant la tête. Il était bien habillé cet homme et il avait la voix franche, la mine avenante. Quel temps de misère… Ce n'était pas le premier à qui le gendarme était gêné de voir des menottes.

— Vous ne serez pas mal dans ce camp-là ! dit le gendarme. Je ne parle pas de la nourriture, bien sûr. Avant la guerre les chiens n'en auraient pas voulu. Mais pour le reste, c'est le meilleur camp de concentration qui soit en France, à ce qu'on assure. C'est le camp des Allemands.

— Je ne comprends pas très bien, dit Gerbier.

— Pendant la drôle de guerre on s'attendait, je pense, à faire beaucoup de prisonniers, expliqua le gendarme. On a installé un grand centre pour eux dans le pays. Naturellement il n'en est pas venu un seul. Mais aujourd'hui, ça rend bien service.

— En somme, une vraie chance, remarqua Gerbier.

— Comme vous dites, Monsieur, comme vous dites ! s'écria le gendarme.

Le conducteur remonta sur son siège. La voiture cellulaire se remit en route. La pluie continuait de tomber sur la campagne limousine.

-:-

Gerbier, les mains libres, mais debout, attendait que le commandant du camp lui adressât la parole. Le commandant du camp lisait le dossier de Gerbier. Parfois, il enfonçait le pouce de sa main gauche au creux de sa joue et le retirait lentement. La chair grasse, molle et malsaine, gardait l'empreinte blanche, quelques secondes, et se regonflait avec peine comme une vieille éponge sans élasticité. Ce mouvement marquait les temps de réflexion du commandant.

— « Toujours la même chose, pensait-il. On ne sait plus qui on reçoit, et comment les traiter. »

Il soupira au souvenir de l'avant-guerre, et de l'époque où il était directeur de prison. Il fallait seulement se montrer prudent pour les bénéfices faits sur la nourriture. Le reste ne présentait aucune difficulté. Les prisonniers se rangeaient d'eux-mêmes en catégories connues et à chaque catégorie correspondait une règle de conduite. Maintenant, tout au contraire, on pouvait prélever ce qu'on voulait sur les rations du camp (personne ne s'en inquiétait), mais c'était un casse-tête que de trier les gens. Les uns qui arrivaient sans jugement, sans condamnation, restaient enfermés indéfiniment. D'autres, chargés d'un dossier terrible, sortaient très vite et reprenaient de l'influence dans le département, à la préfecture régionale, voire même à Vichy.

Le commandant ne regardait pas Gerbier. Il avait renoncé à se faire une opinion d'après les visages et les vêtements. Il essayait de deviner entre les lignes, dans les notes de police que lui avaient remises les gendarmes en même temps que leur prisonnier.

« Caractère indépendant, esprit vif ; attitude distante et ironique » lisait le commandant. Et il traduisait « à mater ». Puis « Ingénieur distingué des ponts et chaussées », et, son pouce dans la joue, le commandant se disait « à ménager ».

« Soupçonné de pensées gaullistes » – « à mater, à mater ». – Mais ensuite : « Libéré sur non-lieu » – « influence, influence… à ménager ».

Le pouce du commandant creusa plus profondément la chair adipeuse. Il sembla à Gerbier que la joue ne reviendrait jamais à son niveau normal. Pourtant l'œdème disparut petit à petit. Alors le commandant déclara avec une certaine solennité :

— Je vais vous mettre dans un pavillon qui était prévu pour des officiers allemands.

— Je suis très sensible à cet honneur, dit Gerbier.

Pour la première fois le commandant dirigea son regard lourd et vague d'homme qui mangeait trop vers la figure de son nouveau prisonnier.

Celui-ci souriait mais seulement à demi ; les lèvres étaient fines et serrées.

« À ménager, certes, pensa le commandant du camp, mais à ménager avec méfiance. »

-:-

Le garde-magasin donna à Gerbier des sabots et un bourgeron de bure rouge.

— C'était prévu, commença-t-il, pour les prisonniers…

— Allemands, je le sais, dit Gerbier.

Il enleva ses vêtements, enfila le bourgeron. Puis, sur le seuil du magasin il promena ses yeux à travers le camp. C'était un plateau ras, herbeux, autour duquel se liaient et se déliaient des ondulations de terrain inhabité. La pluie tombait toujours du ciel bas. Le soir venait. Déjà les réseaux de barbelés et le chemin de ronde qui les séparaient étaient éclairés durement. Mais les bâtiments de taille inégale répandus à travers le plateau demeuraient obscurs. Gerbier se dirigea vers l'un des plus petits.

-:-

La baraque abritait cinq bourgerons rouges.

Le colonel, le pharmacien et le voyageur de commerce, assis à la turque près de la porte, jouaient aux dominos avec des morceaux de carton, sur le dos d'une gamelle. Les deux autres prisonniers conversaient dans le fond à mi-voix.

Armel était allongé sur sa paillasse et enveloppé de la seule couverture qui était accordée aux internés. Legrain avait étendu la sienne par-dessus, mais cela n'empêchait pas Armel de grelotter. Il avait encore perdu beaucoup de sang dans l'après-midi. Ses cheveux blonds étaient collés par la sueur de la fièvre. Son visage sans chair portait une expression de douceur un peu bornée, mais inaltérable.

— Je t'assure, Roger, je t'assure que si tu pouvais avoir la foi, tu ne serais pas malheureux parce que tu ne serais plus révolté, murmurait Armel.

— Mais je veux l'être, je le veux, dit Legrain.

Il serra ses poings maigres et une sorte de chuintement sortit de sa poitrine affaissée. Il reprit avec fureur :

— Tu es arrivé ici, tu avais vingt ans, j'en avais dix-sept. On se portait bien, on n'avait fait de mal à personne, on ne demandait qu'à vivre. Regarde-nous aujourd'hui. Et tout ce qui se passe autour ! Que ça existe et qu'il y ait un Dieu, je ne peux pas le comprendre.

Armel avait fermé les yeux. Ses traits étaient comme effacés par l'usure intérieure et par l'ombre grandissante.

— C'est avec Dieu seulement qu'on peut tout comprendre, répondit-il.

Armel et Legrain étaient parmi les premiers internés du camp. Et Legrain n'avait pas d'autre ami au monde. Il eût voulu tout faire pour assurer le repos de cette figure exsangue et angélique. Elle lui inspirait une tendresse, une pitié, qui étaient ses seules attaches avec les hommes. Mais il y avait en lui un sentiment encore plus fort – et inflexible – qui l'empêchait de consentir au murmure d'Armel.

— C'est non. Je ne peux pas croire à Dieu, dit-il. C'est trop commode, pour les salauds, de payer dans l'autre monde. Je veux voir la justice sur cette terre. Je veux…

Le mouvement qui se fit à la porte de la baraque arrêta Legrain. Un nouveau bourgeron venait d'entrer.

— Je m'appelle Philippe Gerbier, dit le nouvel arrivant.

Le colonel Jarret du Plessis, le pharmacien Aubert et Octave Bonnafous, le voyageur de commerce, se présentèrent, tour à tour.

— Je ne sais pas, Monsieur, ce qui vous amène ici, dit le colonel.

— Je ne le sais pas davantage, dit Gerbier en souriant à moitié.

— Mais je tiens à ce que vous appreniez tout de suite pourquoi j'ai été interné, poursuivit le colonel. J'ai affirmé dans un café que l'amiral Darlan était un jeanfoutre. Oui.

Le colonel fit une pause assez emphatique et reprit fortement :

— Aujourd'hui, j'ajoute que le maréchal Pétain est un autre jean-foutre, qui laisse brimer les soldats par les marins. Oui !

— Au moins, vous souffrez pour une idée, colonel ! s'écria le voyageur de commerce. Mais moi qui passais simplement pour mes affaires sur une place où il y avait une manifestation gaulliste…

— Et moi, interrompit Aubert, le pharmacien, moi c'est encore pire.

Il demanda brusquement à Gerbier :

— Savez-vous ce qu'est un obus Malher ?

— Non, dit Gerbier.

— Cette ignorance générale m'a tué, reprit Aubert. L'obus Malher, Monsieur, est un récipient à forme ogivale, destiné à faire des réactions chimiques sous pression. Je suis expert-chimiste, Monsieur. J'étais bien forcé d'avoir un obus Malher, tout de même. On m'a dénoncé pour détention d'obus. Je n'ai jamais pu me faire entendre des autorités.

— Il n'y a plus d'autorités, il n'y a que des jean-foutres ! Oui, dit le colonel, ils m'ont supprimé ma retraite.

Gerbier comprit qu'il entendrait cent fois ces histoires. Il demanda avec une extrême politesse où était la place qu'il devait occuper dans la baraque. Le colonel qui faisait fonction de chef de chambrée lui indiqua une paillasse libre, dans le fond. En y portant sa valise, Gerbier approcha ses autres compagnons. Il tendit la main à Legrain. Celui-ci se nomma et dit :

— Communiste.

— Déjà ? demanda Gerbier.

Legrain rougit très fort et répondit très vite :

— J'étais trop jeune pour avoir ma carte au Parti, c'est juste, mais c'est la même chose. J'ai été arrêté avec mon père et d'autres militants. Eux ils ont été envoyés ailleurs. Ici, à ce qu'il paraît, la vie était trop douce pour eux. J'ai demandé à les suivre, mais on m'a laissé.

— Il y a longtemps ? demanda encore Gerbier.

— Tout de suite après l'armistice.

— Cela fait près d'un an, dit Gerbier.

— Je suis le plus vieux, dans le camp, dit Roger Legrain.

— Le plus ancien, corrigea Gerbier, en souriant.

— Après moi, c'est Armel, reprit Legrain... Le petit instituteur qui est couché.

— Il dort ? demanda Gerbier.

— Non, il est très malade, murmura Legrain. Une sale dysenterie.

— Et l'infirmerie ? demanda Gerbier.

— Pas de place, dit Legrain.

À leurs pieds une voix parla, douce, exténuée.

— Pour mourir, on est bien partout.

— Pourquoi êtes-vous ici ? demanda Gerbier, en se penchant vers Armel.

— J'ai prévenu que je ne saurais jamais enseigner aux enfants la haine des Juifs et des Anglais, dit l'instituteur, sans avoir la force d'ouvrir les yeux.

Gerbier se releva. Il ne montrait pas d'émotion. Seulement ses lèvres étaient devenues d'une couleur un peu plus foncée.

Gerbier plaça sa valise au chevet de la paillasse qui lui était destinée. La baraque était complètement dépourvue de meubles et d'accessoires, sauf, au milieu, l'inévitable tinette pour la nuit.

— Il y avait tout ce qu'il fallait pour les officiers allemands qui ne sont jamais venus, dit le colonel. Mais le directeur et les gardiens se sont servis et le reste est allé aux baraques du marché noir.

— Est-ce que vous jouez aux dominos ? demanda le pharmacien à Gerbier.

— Non, désolé, dit celui-ci.

— On peut vous apprendre, proposa le voyageur de commerce.

— Merci, mille fois, mais vraiment je n'ai pas la moindre disposition, dit Gerbier.

— Alors vous nous excuserez, s'écria le colonel. Il y a juste le temps pour une partie, avant qu'il fasse nuit.

L'obscurité vint. On fit l'appel. On ferma les portes. Il n'y avait aucune lumière dans la baraque. La respiration de Legrain était sifflante et oppressée. Dans son coin, le petit instituteur délirait sans trop de bruit. Gerbier pensa : « Le commandant du camp n'est pas si maladroit. Il m'étouffe entre trois imbéciles et deux enfants perdus. »

-:-

Le lendemain, quand Roger Legrain sortit de la baraque, il pleuvait. Malgré cela et malgré la fraîcheur aiguë de la matinée d'avril sur un plateau exposé à tous les vents, Gerbier, nu dans ses sabots et une serviette autour des reins, faisait de la culture physique. Il avait un corps de couleur mate, de consistance sèche et dure. Les muscles n'étaient pas visibles, mais leur jeu uni, compact, donnait le sentiment d'un bloc difficile à entamer. Legrain considéra ces mouvements avec tristesse. Rien que de respirer profondément faisait siffler ses poumons comme une vessie creuse... Gerbier cria entre deux exercices :

— Déjà en promenade !

— Je vais à la centrale électrique du camp, dit Legrain. J'y travaille.

Gerbier acheva une flexion et s'approcha de Legrain.

— Bonne place ? demanda-t-il.

Une vive rougeur monta aux joues caves de Legrain. C'était, de temps en temps, la seule trace de sa grande jeunesse. Pour le reste les privations, la réclusion et surtout le travail constant d'une lourde et obsédante révolte intérieure, avaient terriblement mûri son visage et son comportement.

— Je ne touche même pas une croûte de pain pour mon travail, dit Legrain. Mais j'aime le métier et je ne veux pas perdre la main. Un point c'est tout.

Le nez aquilin de Gerbier était très mince à la naissance. À cause de cela, ses yeux semblaient très rapprochés. Quand Gerbier regardait quelqu'un avec attention, comme il le faisait en cet instant pour Legrain, son éternel demi-sourire se fixait en un pli sévère et l'on eût dit que ses yeux se fondaient en un seul feu noir. Comme Gerbier demeurait silencieux, Legrain pivota sur ses sabots. Gerbier dit doucement :

— Au revoir, camarade.

Legrain lui fit face avec autant de brusquerie que s'il avait été brûlé.

— Vous êtes… vous êtes… communiste, balbutia-t-il.

— Non, je ne suis pas communiste, dit Gerbier.

Il laissa passer une seconde et ajouta en souriant :

— Mais cela ne m'empêche pas d'avoir des camarades.

Gerbier assura sa serviette autour des reins et reprit sa culture physique. Le bourgeron rouge de Legrain s'effaça lentement sur le plateau pluvieux.

-:-

Dans l'après-midi, le ciel s'étant éclairci un peu, Gerbier fit le tour du camp. Cela lui prit plusieurs heures. Le plateau était immense et occupé entièrement par la cité des internés. On voyait qu'elle avait grandi en désordre par à-coups, et à mesure que les ordres de Vichy drainaient vers cette haute terre nue le peuple toujours croissant des captifs. Au milieu s'élevait le noyau du début que l'on avait bâti pour les prisonniers allemands. Les constructions en étaient décentes et solides. Les bureaux de l'administration pénitentiaire s'étaient établis dans les meilleures d'entre elles. Puis des baraques en planches, en tôle ondulée, en carton goudronné, s'échelonnaient à perte de vue. Cela ressemblait aux zones lépreuses qui ceinturent les grandes villes. Il avait fallu de la place, encore de la place, toujours de la place.

Pour les étrangers. Pour les trafiquants. Pour les francs-maçons. Pour les Kabyles. Pour les adversaires de la Légion. Pour les Juifs. Pour les paysans réfractaires. Pour les romanichels. Pour les anciens repris de justice. Pour les suspects politiques. Pour les suspects d'intention. Pour ceux qui gênaient le gouvernement. Pour ceux dont on craignait l'influence sur le peuple. Pour ceux qui avaient été dénoncés sans preuve. Pour ceux qui avaient purgé leur peine et qu'on ne voulait pas laisser libres. Pour ceux que les juges refusaient de condamner, de juger, et que l'on punissait de leur innocence...

Ils étaient des centaines d'hommes pris à leur famille, à leurs travaux, à leur ville, à leur vérité, et parqués dans des camps sur une simple décision de fonctionnaires pour une durée sans limite, comme des épaves sur une plage vaseuse que la mer n'atteint plus.

Pour garder ces hommes dont la foule augmentait chaque jour, il avait fallu d'autres hommes, eux aussi toujours plus nombreux. On les avait recrutés au hasard, en hâte, parmi les chômeurs de la plus pauvre espèce, les bons à rien, les alcooliques, les dégénérés. Ils n'avaient pour uniforme, sur leurs vêtements misérables, qu'un béret et un brassard. On les payait très mal. Ces déclassés avaient soudain du pouvoir. Ils se montraient féroces. Ils faisaient argent de tout : des rations de famine qu'ils réduisaient de moitié, du tabac, du savon, des menus objets de toilette, qu'ils revendaient à des prix monstrueux. La corruption était le seul moyen d'agir sur ces gardiens.

Pendant sa promenade Gerbier s'assura de la sorte deux fournisseurs. Gerbier échangea aussi quelques paroles avec des internés étendus devant leurs baraques. Il eut le sentiment d'approcher une sorte de moisissure, de champignons rougeâtres à forme humaine. Ces gens sous-nourris, flottants et transis dans leurs bourgerons, désœuvrés, pas rasés, mal lavés, avaient les yeux vagues et vides, la bouche molle et sans ressort. Gerbier pensa que cet abandon était assez naturel. Les vrais révoltés, quand ils étaient pris, étaient tenus à l'ordinaire dans les prisons profondes et muettes, ou remis à la Gestapo. Il y avait sans doute, même dans ce camp, quelques hommes résolus et qui ne cédaient pas au pourrissement. Mais il fallait du temps pour les déceler, au milieu de cet immense troupeau, rompu par l'adversité. Gerbier se rappela Roger Legrain, ses traits épuisés mais inflexibles, ses maigres épaules courageuses. Pourtant c'était lui qui avait passé le plus de mois dans le pourrissoir. Gerbier se dirigea vers la station d'électricité qui se trouvait parmi ces bâtiments centraux qu'on appelait dans le camp le quartier allemand.

Comme il y arrivait Gerbier croisa une file de Kabyles squelettiques qui poussaient devant eux des brouettes chargées de poubelles. Ils avançaient très lentement. Leurs poignets semblaient près de se briser. Leurs têtes étaient trop lourdes à leurs cous d'oiseaux décharnés. L'un d'eux trébucha et sa brouette, basculant, renversa la poubelle. Des épluchures, des restes sordides, se répandirent sur le sol. Avant que Gerbier n'ait eu le temps de comprendre, il vit une sorte de meute enragée, affolée, se jeter sur les détritus. Puis il vit accourir une autre meute. Les gardiens se mirent à frapper à coups de poing, de pied, de gourdin, de nerf de bœuf. D'abord ils frappèrent pour mettre de l'ordre et par devoir. Mais ils y prirent vite du plaisir et comme de l'enivrement. Ils visaient aux points fragiles et vulnérables de l'homme. Au ventre, aux reins, au foie, aux parties sexuelles. Ils n'abandonnaient leur victime qu'inanimée.

Gerbier entendit soudain la voix sourde et sifflante de Legrain.

— Ça me rend fou de penser qu'on a été chercher ces malheureux chez eux en Afrique. On leur a parlé de la France, de la belle France, et du Maréchal le bon grand-père. On leur a promis dix francs par jour ; aux chantiers ils n'en ont reçu que la moitié. Ils ont demandé pourquoi. On les a envoyés ici. Ils crèvent comme des mouches. Et quand ils n'ont pas eu le temps de crever voilà ce qui se passe...

À bout de souffle, Legrain se mit à tousser d'une longue toux creuse.

— Toutes les dettes se payeront, dit Gerbier.

Son demi-sourire était à ce moment d'une acuité extrême. La plupart des gens éprouvaient du malaise quand cette expression passait sur les traits de Gerbier. Mais elle inspira une grande confiance à Legrain.

-:-

Vers le milieu de mai le temps s'établit au beau d'une façon durable. Le printemps tardif éclata d'un coup, dans toute sa force. Des milliers de petites fleurs jaillirent dans l'herbe du camp. Les détenus commencèrent à prendre des bains de soleil. Les échines aiguës, les côtes saillantes, les peaux flasques, les bras réduits à la forme des os, reposaient parmi les fleurs toutes fraîches. Gerbier qui arpentait le plateau tout le long du jour, se heurtait sans cesse à une humanité d'hôpital assommée par le printemps. Personne n'aurait su dire s'il éprouvait pour elle du dégoût, de la pitié ou de l'indifférence. Il ne le savait pas lui-même. Mais quand il aperçut, à l'heure de midi,

Legrain s'exposer comme les autres à la chaleur, Gerbier alla vivement à lui.

— Ne faites pas ça et couvrez-vous tout de suite, dit-il.

Comme Legrain n'obéissait pas, Gerbier jeta un bourgeron sur le torse pitoyable du jeune homme.

— Je vous entends siffler et tousser dans votre sommeil, dit Gerbier. Vous avez sûrement quelque chose aux poumons. Le soleil est très dangereux pour vous.

Gerbier n'avait jamais paru s'intéresser à Legrain plus qu'au pharmacien ou au colonel de leur baraque.

— Vous ne ressemblez pas à un docteur, dit Legrain avec étonnement.

— Et je ne le suis pas, dit Gerbier, mais j'ai dirigé l'installation d'une ligne de force en Savoie. Il y avait là des établissements pour tuberculeux. J'ai parlé avec les médecins.

Les yeux de Legrain s'étaient mis à briller. Il s'écria :

— Vous êtes dans l'électricité ?

— Comme vous, dit gaiement Gerbier.

— Oh non ! Je vois que vous êtes un monsieur dans la partie, dit Legrain. Mais on pourrait parler métier tout de même.

Legrain eut peur de se montrer indiscret et ajouta :

— De temps en temps.

— Tout de suite, si vous voulez, dit Gerbier.

Il s'étendit près de Legrain et tout en mâchonnant des tiges d'herbes et de fleurs, écouta le jeune homme parler du groupe électrogène, où celui-ci travaillait.

— Ça vous plairait que je vous y conduise ? demanda enfin Legrain.

Gerbier vit une station assez rudimentaire mais tenue avec savoir et goût. Gerbier vit également l'adjoint de Legrain. C'était un vieil ingénieur autrichien, d'origine juive. Il avait dû fuir de Vienne à Prague et de Prague en France. Il était très timide. Il tâchait de se faire le plus petit possible. Après tant de traverses et de craintes, il semblait satisfait de son sort.

-:-

La mesure que Gerbier avait prise de cet homme lui permit d'apprécier toute la portée de la scène qui se déroula quelque temps après.

Une automobile de la Gestapo s'arrêta devant l'entrée du camp de concentration. Les barrières furent levées. Quelques gardiens à bérets et à brassards montèrent sur les marchepieds et l'automobile grise roula lentement vers le quartier allemand. Quand elle fut arrivée près de la station d'électricité, un officier de S.S. en descendit et fit signe aux gardiens de le suivre à l'intérieur du pavillon. C'était l'heure du bain de soleil. Beaucoup d'internés s'approchèrent de l'automobile. Le chauffeur en uniforme fumait un cigare et faisait sortir la fumée par les narines de son nez large et camus. Il ne regardait pas la baie des hommes décharnés, à demi nus et silencieux. Au milieu de ce silence, il y eut un cri, et un autre, et encore un autre. Puis ils se confondirent en une lamentation, qui était toute proche de la plainte animale. Les hommes à demi nus eurent un mouvement de panique. Mais la fascination de l'horreur fut plus forte chez eux que la crainte. Ils attendirent. Les gardiens traînèrent hors du pavillon un homme à cheveux blancs. Le vieil ingénieur se débattait en vociférant toujours. Soudain il aperçut la haie des hommes à demi nus, silencieux et pâles. Il se mit à proférer des paroles sans lien. On comprenait seulement : « Terre française… gouvernement français… zone libre… asile… »

Gerbier qui s'était tenu d'abord à l'écart des spectateurs ne s'aperçut pas qu'il approchait d'eux, traversait le dernier rang, traversait le suivant, qu'il arrivait au premier, qu'il avançait encore. Une main tremblante et chaude se posa sur son poignet. Le corps de Gerbier se détendit d'un seul coup et ses yeux perdirent leur expression de fixité.

— Merci, dit-il à Legrain.

Gerbier respira très fort. Après quoi il regarda, avec une sorte de détestation avide, comment les gardes jetèrent le vieil ingénieur dans la voiture, et comment le chauffeur continuait de pousser des ronds de fumée à travers ses larges narines.

— Merci, dit encore Gerbier.

Il sourit à Legrain de ce demi-sourire, où les yeux n'avaient aucune part.

Le soir, dans la baraque, Legrain voulut parler de l'incident mais Gerbier évita toute conversation. Il en fut de même les jours suivants. D'ailleurs l'instituteur Armel allait de plus en plus mal et Legrain n'eut plus de pensée que pour son ami.

-:-

Le petit instituteur mourut une nuit sans plus de délire qu'à l'accoutumée. Des Kabyles emportèrent son corps de bonne heure. Legrain alla à son travail. La journée s'écoula et il ne se comporta pas autrement que la veille. Quand il revint à la baraque, le colonel, le pharmacien et le voyageur de commerce arrêtèrent leur partie de dominos et voulurent le consoler.

— Je ne suis pas triste, dit Legrain. Armel est bien mieux comme ça.

Gerbier ne dit rien à Legrain. Il mit à sa disposition le paquet de cigarettes qu'un gardien lui avait vendu dans l'après-midi. Legrain en fuma trois coup sur coup, malgré la toux qui l'épuisait. La nuit vint. On fit l'appel. On ferma les portes. Le colonel, le voyageur de commerce, le pharmacien s'endormirent l'un après l'autre. Legrain paraissait paisible. Gerbier s'endormit à son tour.

Il fut réveillé par un bruit familier. Legrain toussait. Gerbier pourtant ne put retrouver le sommeil. Il écouta plus attentivement. Et il comprit. Legrain se forçait à tousser pour étouffer les hoquets de ses sanglots. Gerbier chercha à tâtons la main de Legrain et lui dit à voix très basse :

— Je suis là, mon vieux.

Aucun son ne se fit plus entendre pendant quelques secondes, à l'endroit où était la paillasse de Legrain. « Il lutte pour sa dignité », pensa Gerbier. Il avait deviné juste. Mais Legrain n'était tout de même qu'un enfant. Gerbier sentit tout à coup un corps sans poids et de petites épaules osseuses se contracter contre lui. Il entendit un gémissement à peine perceptible.

— Je n'ai plus personne au monde... Armel m'a laissé. Il est peut-être chez son bon Dieu maintenant. Il y croyait si fort Mais moi je ne peux pas le voir là-bas... Je n'y crois pas, Monsieur Gerbier... Je vous demande pardon... mais je n'en peux plus. Je n'ai personne au monde. Parlez-moi de temps en temps, Monsieur Gerbier, vous voulez bien ?

Alors Gerbier dit à l'oreille de Legrain :

— On ne lâche jamais un camarade chez nous dans la résistance.

Legrain s'était tu.

— La résistance. Tu entends ? dit encore Gerbier. Endors-toi avec ce mot dans la tête. Il est le plus beau, en ce temps, de toute la langue française. Tu ne peux pas le connaître. Il s'est fait pendant qu'on te détruisait ici. Dors, je promets de te l'apprendre.

-:-

Gerbier accompagnait Legrain à son travail. Ils allaient lentement et Gerbier disait :

— Tu comprends, ils sont venus dans leurs chars, avec leurs yeux vides. Ils pensaient que les chenilles des chars sont faites pour tracer la nouvelle loi des peuples. Comme ils avaient fabriqué beaucoup de chars, ils avaient l'assurance d'être nés pour écrire cette loi. Ils ont en horreur la liberté, la pensée. Leur vrai but de guerre c'est la mort de l'homme pensant, de l'homme libre. Ils veulent exterminer tout ce qui n'a pas les yeux vides. Ils ont trouvé en France des gens qui avaient les mêmes goûts et ceux-là sont entrés à leur service. Et ceux-là t'ont mis à pourrir ici, toi qui n'avais pas commencé à vivre. Ils ont fait mourir le petit Armel. Tu les as vus livrer le malheureux qui croyait au droit d'asile. En même temps ils publiaient que le conquérant était magnanime. Un immonde vieillard essayait de suborner le pays. « Soyez sages, soyez lâches », enseignait-il. « Oubliez que vous avez été fiers, joyeux et libres. Obéissez et souriez au vainqueur. Il vous laissera vivoter tranquilles. » Les gens qui entouraient le vieillard calculaient que la France était crédule et qu'elle était douce. Qu'elle est le pays de la mesure et du juste milieu. « La France est tellement civilisée, tellement amollie, pensaient-ils, qu'elle a perdu le sens du combat souterrain et de la mort secrète. Elle acceptera, elle s'endormira. Et dans son sommeil nous lui ferons des yeux vides. » Et ils pensaient encore : « Nous ne craignons pas les enragés. Ils n'ont pas de liaisons. Ils n'ont pas d'armes. Et nous avons toutes les divisions allemandes pour nous défendre. » Tandis qu'ils se réjouissaient ainsi, naissait la résistance.

Roger Legrain marchait sans oser tourner la tête vers Gerbier. Il avait comme peur d'intervenir dans l'accomplissement d'un miracle. Cet homme si distant, si avare de propos, et qui soudain éclatait en paroles de feu… Et l'univers qui devenait soudain un tout autre univers… Legrain voyait l'herbe et les baraques du camp et les bourgerons rouges et les silhouettes faméliques des Kabyles se traînant aux corvées. Mais tout cela changeait de forme et de fonction. La vie du camp ne s'arrêtait plus aux barbelés. Elle s'étendait au pays tout entier. Elle s'éclairait, elle prenait un sens. Les Kabyles et Armel et lui-même, entraient dans un grand ordre humain. Legrain se sentait délivré peu à peu de cette révolte aveugle, acharnée, enchaînée, confuse, obtuse, sans issue et qui se débattait en lui en déchirant et ravageant toute sa substance. Il se sentait approcher d'un grand mystère. Et il était trop ignorant et trop chétif pour contempler le compagnon qui soulevait pour lui les voiles de ce mystère.

— Comment cela s'est fait, je n'en sais rien, disait Gerbier. Je pense que personne ne le saura jamais. Mais un paysan a coupé un fil téléphonique de campagne. Une vieille femme a mis sa canne dans les jambes d'un soldat allemand. Des tracts ont circulé. Un abatteur de La Villette a jeté dans la chambre froide un capitaine qui réquisitionnait la viande avec trop d'arrogance. Un bourgeois donne une fausse adresse aux vainqueurs qui demandent leur chemin. Des cheminots, des curés, des braconniers, des banquiers, aident les prisonniers évadés à passer par centaines. Des fermiers abritent des soldats anglais. Une prostituée refuse de coucher avec les conquérants. Des officiers, des soldats français, des maçons, des peintres, cachent des armes. Tu ne connais rien de tout cela. Tu étais ici. Mais pour celui qui a senti cet éveil, ce premier frémissement, c'était la chose la plus émouvante du monde. C'était la sève de la liberté, qui commençait à sourdre à travers la terre française. Alors les Allemands et leurs serviteurs et le vieillard, ont voulu extirper la plante sauvage. Mais plus ils en arrachaient, et mieux elle poussait. Ils ont empli les prisons. Ils ont multiplié les camps. Ils se sont affolés. Ils ont enfermé le colonel, le voyageur de commerce, le pharmacien. Et ils ont eu encore plus d'ennemis. Ils ont fusillé. Or, c'était de sang que la plante avait surtout besoin pour croître et se répandre. Le sang a coulé. Le sang coule. Il va couler à flots. Et la plante deviendra forêt.

Gerbier et Legrain firent le tour de la station d'électricité. Gerbier dit encore :

— Celui qui entre en résistance vise l'Allemand. Mais en même temps il frappe Vichy et son vieillard, et les séides du vieillard et le directeur de notre camp, et les gardiens que tu vois chaque jour à l'ouvrage. La résistance, elle est tous les hommes français qui ne veulent pas qu'on fasse à la France des yeux morts, des yeux vides.

-:-

Legrain et Gerbier étaient assis dans l'herbe. Le vent des coteaux passait à la fraîcheur. Le soir venait ; Gerbier parlait au jeune homme des journaux de la résistance.

— Et les gens qui les font osent écrire ce qu'ils pensent ? demanda Legrain, les pommettes enflammées.

— Ils peuvent tout oser, ils n'ont pas d'autre loi, pas d'autre maître que leur pensée, dit Gerbier. Cette pensée est plus forte en eux que la vie. Les hommes qui publient ces feuilles sont inconnus, mais un jour on élèvera des monuments à leur œuvre. Celui qui trouve le papier risque la mort. Ceux qui composent les pages risquent la mort. Ceux qui écrivent les articles risquent la mort. Et ceux qui transportent les journaux risquent la mort. Rien n'y fait. Rien ne peut étouffer le cri qui sort des Ronéo, cachées dans de pauvres chambres, qui monte des presses, tapies au fond des caves. Ne crois pas que ces journaux ont la mine de ceux que l'on vend au grand jour. Ce sont de petits carrés de papier, misérables. Des feuilles mal venues, imprimées ou tapées à la diable. Les caractères sont ternes. Les titres maigres. L'encre bave souvent. On fabrique comme on peut. Une semaine dans une ville et une semaine dans une autre. On prend ce qu'on a sous la main. Mais le journal paraît. Les articles suivent des routes souterraines. Quelqu'un les rassemble, quelqu'un les agence en secret. Des équipes furtives mettent en page. Les policiers, les mouchards, les espions, les dénonciateurs s'agitent, cherchent, fouinent, flairent. Le journal part sur les chemins de France. Il n'est pas grand, il n'a pas bel aspect. Il gonfle des valises usées, craquantes, disjointes. Mais chacune de ses lignes est comme un rayon d'or. Un rayon de la pensée libre.

— Mon père était typographe… alors je me rends compte, dit Legrain. Il ne doit pas y en avoir beaucoup de ces journaux.

— Il y en a en masse, dit Gerbier. Chaque mouvement important de la résistance a le sien et qu'on tire par dizaines de mille. Et puis il y a ceux des groupes isolés. Et ceux des provinces. Et les médecins ont le leur, et les musiciens, et les étudiants, et les instituteurs, et les universitaires, et les peintres, et les écrivains, et les ingénieurs.

— Et les communistes ? demanda Legrain à voix basse.

— Mais naturellement, ils ont « L'Humanité ». Comme avant.

— « L'Huma » dit Legrain, « L'Huma »… Ses yeux creux étaient pleins d'extase. Il voulut parler encore mais une série de quintes de toux l'en empêcha.

-:-

Il était midi. Les internés avaient avalé la gamelle d'eau sale qui servait de repas et gisaient immobiles sous le soleil. Legrain se tenait avec Gerbier, à l'ombre de la baraque.

— On meurt bien dans la résistance, disait Gerbier. La fille d'un industriel devait être exécutée par la Gestapo, parce qu'elle ne voulait rien révéler de l'organisation à laquelle elle appartenait. Son père obtint la faveur de la voir. Il la supplia de parler. Elle l'insulta, et *ordonna* à l'officier allemand qui assistait à l'entretien d'emmener son père… Un militant des syndicats chrétiens fit amitié par faiblesse ou intérêt avec des Allemands. Sa femme le chassa. Et son tout jeune fils s'engagea dans un groupe d'action. Il fit du sabotage, tua des sentinelles. Quand il fut pris, il écrivit à sa mère : « Tout est lavé. Je meurs en bon Français et en bon chrétien. » J'ai vu la lettre… Un professeur célèbre est arrêté – jeté dans une cellule de la Gestapo à Fresnes. On le torture pour savoir des noms. Il résiste… Il résiste… Mais enfin, il est à bout de forces. Il a peur de lui-même. Il déchire sa chemise et se pend… À la suite d'une manifestation violente où le sang allemand coule dans Paris, une douzaine d'hommes sont condamnés à mort. Ils doivent être fusillés le lendemain à l'aube. Ils le savent. Et l'un d'eux, un ouvrier, commence à raconter des histoires drôles. Toute la nuit *il fait rire* ses camarades. C'est l'aumônier allemand de la prison qui a relaté la chose à la famille de l'ouvrier.

Legrain détourna les yeux et demanda en hésitant :

— Est-ce que… Monsieur Gerbier… il n'y avait pas de communistes parmi ces manifestants ?

— Ils l'étaient tous, répondit Gerbier. C'est aussi un communiste Gabriel Péri qui, avant de mourir, a laissé la plus belle parole peut-être de la résistance : « Je suis content, a-t-il écrit. Nous préparons les lendemains qui chantent. »

Gerbier posa sa main sur le poignet étroit de Legrain et lui dit doucement :

— Je voudrais que tu me comprennes une fois pour toutes. Il n'y a plus de haine, ni de soupçons, ni de barrière d'aucune sorte entre les communistes et les autres Français aujourd'hui. Nous sommes tous de la même bataille, et ce sont les communistes sur qui l'ennemi s'acharne en premier lieu. Nous le savons. Et nous savons qu'ils sont aussi braves que les plus braves et mieux organisés. Ils nous aident et nous les aidons. Ils nous aiment et nous les aimons. Tout est devenu très simple.

— Parlez, Monsieur Gerbier, parlez encore, murmura Legrain.

-:-

C'était surtout la nuit que Gerbier avait le temps de parler.

Leur petite baraque, étroitement fermée, rendait la chaleur amassée pendant tout le long du jour. Les paillasses brûlaient les reins. Et les ténèbres étaient suffocantes. Les compagnons de captivité se tournaient et se retournaient dans leur sommeil. Mais rien n'importait à Legrain, pas même le sifflement précipité de ses poumons qui parfois, et sans qu'il s'en aperçût, le forçait à comprimer sa poitrine des deux mains. Et Gerbier disait comment des postes de radio dissimulés dans les villes ou dans les hameaux permettaient de parler chaque jour avec les amis du monde libre. Il racontait le travail des opérateurs secrets, leur ruse, leur patience, leurs risques et la musique merveilleuse que font les messages chiffrés. Il montrait le réseau immense d'écoute et de surveillance qui enveloppait l'ennemi, comptait ses régiments, ses défenses, pénétrait ses documents. Et Gerbier disait aussi qu'en toute saison, à toute heure, des agents de liaison couraient, cheminaient, se glissaient à travers la France entière. Et il peignait cette France souterraine, cette France de dépôts d'armes enfouis, de postes de commandement allant de refuge en refuge, de chefs inconnus, d'hommes et de femmes qui changeaient sans cesse de nom, d'aspect, de toit et de visage.

— Ces gens, disait Gerbier, auraient pu se tenir tranquilles. Rien ne les forçait à l'action. La sagesse, le bon sens leur conseillait de manger et de dormir à l'ombre des baïonnettes allemandes et de voir fructifier leurs affaires, sourire leurs femmes, grandir leurs enfants. Les liens matériels et les biens de la tendresse étroite leur étaient ainsi assurés. Ils avaient même pour apaiser et bercer leur conscience, la bénédiction du vieillard de Vichy. Vraiment, rien ne les forçait au combat, rien que leur âme libre.

— Sais-tu, disait Gerbier, de quoi est faite la vie de l'homme illégal ? de l'homme de la résistance ? Il n'a plus d'identité, ou il en a tellement qu'il en a oublié la sienne. Il n'a pas de feuille d'alimentation. Il ne peut même plus se nourrir à mi-faim. Il dort dans une soupente, ou chez une fille publique, ou bien sur les dalles d'une boutique, ou dans une grange abandonnée, ou sur une banquette de gare. Il ne peut plus revoir les siens que la police surveille. Si sa femme – ce qui arrive souvent – est aussi dans la résistance, ses enfants poussent au hasard. La menace d'être pris double son ombre. Chaque jour des camarades disparaissent, torturés, fusillés. Il va de gîte précaire en gîte précaire, sans feu ni lieu, traqué, obscur, fantôme de lui-même.

Et Gerbier disait encore :

— Mais il n'est jamais seul. Il sent autour de lui la foi et la tendresse de tout un peuple enchaîné. Il trouve ses complices, il trouve des amis dans les champs et à l'usine. Dans les faubourgs et dans les châteaux, chez les gendarmes, les cheminots, les contrebandiers, les marchands et les prêtres. Chez les vieux notaires et chez les jeunes filles. Le plus pauvre partage sa maigre ration de pain avec lui. Lui, qui n'a même pas le droit d'entrer chez un boulanger, parce qu'il lutte pour toutes les moissons de la France.

Ainsi parlait Gerbier. Et Legrain sur son grabat enflammé, dans l'obscurité étouffante, découvrait un pays tout neuf et enchanté, peuplé de combattants sans nombre, et sans armes, une patrie d'amis sacrés, plus belle que ne le fut jamais patrie sur la terre. La résistance était cette patrie.

-:-

Un matin, en allant à son travail, Legrain demanda soudain :

— Monsieur Gerbier, vous êtes un chef dans la résistance ?

Gerbier considéra avec une attention presque cruelle le jeune visage brûlant et ravagé de Legrain. Il y vit une loyauté et une dévotion sans bornes

— J'étais dans l'état-major d'un mouvement, dit-il. Personne ici ne le sait. Je venais de Paris, on m'a arrêté à Toulouse sur une dénonciation, je pense. Mais aucune preuve. Ils n'ont même pas osé me juger. Alors ils m'ont envoyé ici.

— Pour combien de temps ? demanda Legrain.

Gerbier haussa les épaules et sourit.

— Le temps qu'il leur plaira, voyons, dit-il. Tu le sais mieux que personne.

Legrain s'arrêta et regarda fixement le sol. Puis il dit d'une voix étouffée mais très ferme :

— Monsieur Gerbier, il faut que vous partiez d'ici.

Legrain fit une pause, releva la tête et ajouta :

— On a besoin de vous dehors.

Comme Gerbier ne répondait pas, Legrain reprit :

— J'ai une idée… et je l'ai depuis longtemps… Je vous la raconterai ce soir.

Ils se quittèrent. Gerbier acheta des cigarettes au gardien qui lui servait de fournisseur. Il fit le tour du plateau. Il avait son sourire habituel. Il atteignait pourtant au but qu'il avait poursuivi à travers les récits et les images dont il avait patiemment enivré Legrain.

-:-

— Je vais vous dire mon idée, chuchota Legrain, lorsqu'il fut assuré que le colonel, le voyageur de commerce et le pharmacien dormaient profondément.

Legrain se recueillit et chercha ses mots. Puis il dit :

— Qu'est-ce qui empêche de s'évader ? Il y a deux choses – les barbelés et les patrouilles. Pour les barbelés, le sol n'est pas au même niveau partout, et il y a des endroits où un homme mince comme vous l'êtes, Monsieur Gerbier, peut se couler par-dessous, en se déchirant un peu.

— Je connais tous ces endroits, dit Gerbier.

— Voilà pour les barbelés, dit Legrain. Reste les patrouilles. Combien de minutes vous faut-il pour courir jusqu'au chemin de ronde, passer et vous perdre dans la nature ?

— Douze... Quinze au plus, dit Gerbier.

— Eh bien, je peux faire en sorte que les gardiens soient aveugles plus longtemps que ça, dit Legrain.

— Je le pense, dit paisiblement Gerbier. Il n'est pas difficile pour un électricien adroit d'arranger à l'avance une panne de courant.

— Vous y pensiez, murmura Legrain. Et vous ne m'en avez jamais touché un mot.

— Je sais commander ou accepter. Je ne sais pas demander, dit Gerbier. J'attendais que la chose vienne de toi.

Gerbier s'appuya sur un coude comme pour essayer de discerner à travers l'obscurité le visage de son compagnon. Et il dit :

— Je me suis demandé souvent pourquoi, ayant ce moyen à ta disposition, tu n'en as pas profité.

Legrain eut une quinte de toux avant de répondre.

— Dans le commencement, j'ai parlé de la chose avec Armel. Il n'a pas été d'avis. Il se résignait trop facilement peut-être. Mais dans un sens c'était vrai ce qu'il disait. Avec nos bourgerons et sans papiers, sans carte d'alimentation, on ne serait pas allés bien loin. Puis Armel est tombé malade. Je ne pouvais pas le laisser. Et moi-même ça n'allait plus trop fort. Pour vous c'est tout différent. Avec vos amis de la résistance…

— J'ai déjà établi un contact par le gardien qui me vend des cigarettes, dit Gerbier.

Il ajouta sans transition :

— Dans une semaine, deux au plus tard, nous pouvons partir.

Il y eut un silence. Et le cœur de Legrain cogna si fort dans son flanc délabré que Gerbier entendit ses battements. Le jeune homme murmura :

— C'est bien *nous* que vous avez promis, Monsieur Gerbier ?

— Mais évidemment, dit Gerbier. Qu'est-ce que tu pensais donc ?

— Je croyais par instants que vous me prendriez avec vous. Mais je n'osais pas en être sûr, dit Legrain.

Gerbier demanda lentement et en appuyant sur chaque mot :

— Alors tu avais accepté l'idée de préparer mon évasion tout en restant ici ?

— La chose était entendue comme ça avec moi-même, dit Legrain.

— Et tu l'aurais fait ?

— On a besoin de vous, Monsieur Gerbier, dans la résistance.

Depuis quelques minutes Gerbier avait très envie de fumer. Il attendit pourtant avant d'allumer une cigarette. Il détestait de laisser voir la moindre émotion sur ses traits.

-:-

En commençant sa partie de dominos le colonel Jarret du Plessis fit cette remarque à ses compagnons :

— Le petit communiste a l'air tout réveillé. Chaque fois qu'il se rend à son travail il chantonne.

— C'est le printemps, assura le voyageur de commerce.

— C'est plutôt qu'on s'habitue à tout, soupira le pharmacien. Lui comme les autres, le pauvre gosse.

Les trois hommes n'avaient aucune hostilité contre Legrain. Au contraire son âge, son malheur, son état physique, attendrissaient leur bonhomie naturelle. Ils lui avaient proposé de veiller tour à tour sur Armel. Mais Legrain, jaloux de son ami, avait décliné leurs services. Quand ils recevaient par colis quelque nourriture de l'extérieur ils voulaient toujours en donner une part à Legrain. Mais, sachant qu'il n'avait aucune chance de leur rendre ces bons procédés, Legrain s'était entêté dans un refus sans appel. Peu à peu, à cause de ce comportement sauvage, les joueurs de dominos en étaient venus à oublier l'existence du jeune homme. Son changement d'attitude ramena l'attention sur lui. Un soir où le pharmacien tendait à ses voisins des tablettes de chocolat qu'il avait trouvées dans un paquet familial, Legrain tendit la main.

— Bravo ! s'écria le colonel Jarret du Plessis. Le petit communiste s'apprivoise.

Le colonel se tourna vers Gerbier et lui dit :

— C'est votre influence, Monsieur, et je vous félicite.

— Je crois davantage à celle du chocolat, dit Gerbier.

Quelques heures plus tard, lorsqu'ils furent seuls à demeurer éveillés, Gerbier dit à Legrain :

— Tu choisis mal ton temps pour faire commenter ta gourmandise.

— J'ai pensé… j'ai pensé que je pourrais lui renvoyer bientôt quelque chose, murmura le jeune homme.

— Ils ont pu avoir la même pensée. On ne doit jamais croire les gens plus bêtes que soi-même, dit Gerbier.

Ils se turent. Au bout de quelques instants Legrain demanda humblement :

— Vous êtes fâché contre moi, Monsieur Gerbier ?

— Mais non, c'est fini, dit Gerbier.

— Alors vous voulez bien me raconter comment cela va se passer après la panne de courant ? pria Legrain.

— Je t'ai déjà expliqué le détail hier et avant-hier, dit Gerbier.

— Si vous ne recommencez pas, dit Legrain, je ne peux pas y croire, et je n'arrive pas à dormir... Alors vraiment, il y aura une voiture ?

— Un gazogène, dit Gerbier. Et je pense que c'est Guillaume qui conduira.

— L'ancien sergent de la Légion étrangère ? Le dur ? Celui qu'on appelle aussi le Bison ? chuchota Legrain.

— Il y aura des vêtements civils dans la voiture, continua Gerbier. Elle nous mènera dans un presbytère. Ensuite on verra.

— Et des amis de la résistance nous donneront de faux papiers ? demanda Legrain.

— Et des tickets pour manger.

— Et vous me ferez connaître des communistes, Monsieur Gerbier ? Et je travaillerai avec eux pour la résistance ?

— Je te le promets.

— Mais on se verra tout de même, vous et moi, Monsieur Gerbier ?

— Si tu es agent de liaison.

— C'est ce que je veux être, dit Legrain.

Et pendant les nuits qui suivirent, Legrain demanda chaque fois.

— Parlez-moi de Guillaume le Bison, Monsieur Gerbier, et de tout, s'il vous plaît.

-:-

Gerbier ayant acheté des cigarettes trouva à l'intérieur du paquet une feuille de papier pelure. Il alla aux cabinets, lut attentivement le message et le brûla. Puis il fit le tour des barbelés, comme il le faisait à l'ordinaire. À la fin de l'après-midi, il dit à Legrain :

— Tout est en ordre. Nous partons samedi.

— Dans quatre jours, balbutia Legrain.

Le sang déserta complètement ses joues pincées puis revint en force, les abandonna de nouveau. Legrain s'appuya contre Gerbier en disant :

— Excusez-moi… la tête me tourne. C'est le bonheur.

Legrain se laissa aller doucement contre le sol. Gerbier constata que la dernière semaine avait terriblement éprouvé le jeune homme. Sa figure était devenue petite et les yeux plus grands. Le nez était mince comme une arête de poisson. On voyait beaucoup plus la pomme d'Adam.

— Il faut te calmer, et dominer tes émotions, dit Gerbier, avec sévérité, et, avant samedi, tu dois reprendre des forces. Il y a tout de même cinq kilomètres à marcher. Tu prendras ma soupe de midi, tu entends.

— Je le ferai, Monsieur Gerbier.

— Et tu ne dors pas assez. Tu iras demain demander des cachets à l'infirmerie.

— J'irai, Monsieur Gerbier.

Legrain quitta la baraque plus tôt que de coutume et Gerbier l'accompagna jusqu'au seuil.

— Plus que trois nuits ici, et c'est la voiture du Bison, dit Legrain.

Il partit en courant. Gerbier le suivait du regard et pensait : « Il est jeune, il tiendra. »

Au repas de midi, Gerbier donna sa gamelle à Legrain. Mais celui-ci secoua la tête.

— Je sais bien que c'était convenu, mais je ne peux pas, ça me tourne le cœur, dit-il.

— Alors prends mon pain, dit Gerbier, tu le mangeras en travaillant.

Legrain fourra la tranche noirâtre dans la poche de son bourgeron. Son geste était mou, accablé. Son visage hébété.

— Tu as l'air morose, remarqua Gerbier.

Legrain ne répondit pas et se dirigea vers la station électrique. Le soir il ne demanda pas à Gerbier de lui parler du Bison et des autres merveilles.

— Tu as pris ton cachet ? demanda Gerbier.

— Je l'ai pris. Je vais dormir vite, je pense, dit Legrain.

Le jeudi sa conduite fut encore plus singulière. Il ne déjeuna pas, et, dans la baraque, en attendant la nuit, surveilla la partie de dominos au lieu de parler avec Gerbier. Il parut sombrer dans le sommeil d'un seul coup.

Le vendredi, Legrain eut une altercation absurde avec le pharmacien et le traita de sale bourgeois. Gerbier ne dit rien sur le moment, mais, dans l'obscurité et le silence, il prit rudement le bras de Legrain qui déjà semblait dormir et demanda :

— Qu'est-ce qui ne va point ?

— Mais… rien, Monsieur Gerbier, dit Legrain.

— Je te prie de répondre, dit Gerbier. Tu n'as plus confiance ? Les nerfs à bout ? Je te donne ma parole que pour ma part tout sera au point.

— Je le sais, Monsieur Gerbier.

— Et de ton côté ?

— Le travail sera propre, je peux vous l'assurer.

— Alors qu'est-ce qu'il y a ?

— Je ne sais pas, Monsieur Gerbier, vraiment… Mal à la tête. Le cœur en boule…

Les yeux de Gerbier se rapprochèrent comme ils le faisaient de jour quand Gerbier voulait percer le secret d'un visage. Mais ils étaient impuissants dans l'obscurité.

— Tu as dû prendre trop de cachets, dit enfin Gerbier.

— Sûrement, Monsieur Gerbier, dit Legrain.

— Ça ira mieux demain, reprit Gerbier, quand tu verras la voiture avec le Bison.

— Le Bison, répéta Legrain.

Mais il n'alla pas plus avant.

Gerbier se rappela souvent par la suite l'inconsciente et affreuse cruauté de ce dialogue dans la nuit.

-:-

Dans la matinée du samedi, au cours de sa promenade accoutumée, Gerbier passa par la station électrique où depuis l'enlèvement du vieil ingénieur autrichien, Legrain travaillait seul. Gerbier vit avec satisfaction que Legrain était calme.

— Tout est prêt, dit le jeune homme.

Gerbier examina l'ouvrage de Legrain. Le mécanisme d'horlogerie qui devait déclencher le court-circuit avait été conçu avec une intelligence et une adresse consommées. Le courant serait interrompu à l'heure voulue.

— Et soyez tranquille, assura Legrain, les ignorants du service de nuit mettront quarante minutes pour le moins à réparer.

— Personne n'aurait mieux fait que toi. C'est comme si nous étions dehors, dit Gerbier.

— Merci, Monsieur Gerbier, murmura le jeune homme.

Il avait les yeux très brillants.

-:-

Le colonel, le pharmacien et le voyageur de commerce achevaient leur partie de dominos aux dernières lueurs du jour. Le crépuscule amoncelait sur le plateau sa fumée grise. Mais une ceinture de lumière dure et fixe emprisonnait le crépuscule à l'intérieur du camp. Le chemin de ronde entre les réseaux de ronces métalliques était violemment éclairé. Derrière cette ceinture et par contraste c'était déjà la nuit. Devant leur baraque, Gerbier et Legrain regardaient en silence les feux sur les barbelés. De temps en temps, Gerbier touchait au fond de sa poche l'outil que Legrain avait rapporté de l'atelier pour faire sauter les serrures. Un gardien en béret cria :

— À l'appel.

Legrain et Gerbier rentrèrent. Le garde compta les habitants de la baraque et ferma les portes. Ce fut une fois de plus l'obscurité. Chacun retrouva sa paillasse en tâtonnant. Le colonel, le voyageur de commerce et le pharmacien échangèrent quelque temps des paroles qui s'espaçaient de plus en plus. Gerbier et Legrain se taisaient. Leurs voisins glissèrent au sommeil avec les soupirs qui leur étaient familiers. Gerbier et Legrain se taisaient.

Gerbier était content du silence de Legrain. Il avait craint de sa part un excès d'agitation pour cette attente. Le mécanisme aménagé par Legrain devait jouer à minuit. Il restait environ une heure. Gerbier fuma plusieurs cigarettes puis alla jusqu'à la porte et crocheta la serrure sans faire de bruit. Il poussa un battant. Il vit la lumière brutale qui cernait le plateau. Gerbier revint à sa paillasse, et prévint.

— Tiens-toi prêt, Roger, il n'y en a plus pour longtemps.

Alors, une fois encore Gerbier entendit les mouvements du cœur de Legrain.

— Monsieur Gerbier, murmura difficilement le jeune homme, il faut que je vous dise quelque chose.

Il reprit son souffle, avec peine.

— Je ne pars pas, dit-il.

Malgré tout l'empire qu'il avait sur lui-même, Gerbier fut sur le point d'élever la voix d'une façon imprudente. Mais il se maîtrisa et parla sur le diapason habituel de ses entretiens dans l'ombre.

— Tu as peur ? demanda-t-il très doucement.

— Oh ! Monsieur Gerbier, gémit Legrain.

Et Gerbier fut sûr que Legrain était inaccessible à la crainte. Aussi sûr que s'il avait pu voir son visage.

— Tu crois que tu es trop fatigué pour faire la route ? dit Gerbier. Je te porterai s'il le faut.

— Je l'aurais fait. Je l'aurais fait, même bien plus longue, dit Legrain.

Et Gerbier sentit que cela était vrai.

— Je vais vous expliquer, Monsieur Gerbier, seulement ne me parlez pas, dit Legrain. Il faut que je fasse vite, et c'est bien malaisé.

Les poumons de Legrain sifflèrent. Il toussa et reprit :

— Quand je suis allé chercher les cachets pour dormir comme vous me l'aviez commandé, j'ai vu le docteur. Il est gentil le docteur. C'est un vieux qui comprend. Il nous a fait mettre ici avec Armel parce que ici au moins il ne pleut pas à travers la toiture et le plancher reste sec. Il ne pouvait rien de plus. C'est pour vous dire qu'on peut causer avec lui. Il ne m'a pas trouvé bonne mine. Il m'a ausculté. Je n'ai pas tout bien compris de ce qu'il m'a raconté... Mais assez quand même pour savoir que j'ai un poumon perdu et l'autre qui se prend. Il a soupiré très fort de me voir toujours enfermé et sans espoir de sortir. Alors je lui ai demandé ce qui arriverait si j'étais dehors. Alors il m'a dit qu'avec deux années de sana je pouvais me consolider. Sans ça, je n'étais bon à rien. Je suis sorti de chez lui assommé. Vous m'avez vu... Je pensais tout le temps à ce que vous m'aviez raconté de la vie de la résistance. J'ai mis jusqu'à ce matin à comprendre que je ne pouvais pas partir.

Gerbier se croyait très dur. Et il l'était. Il croyait ne jamais agir sans réflexion. Et il le faisait. Il n'avait enflammé Legrain de ses récits que pour avoir un sûr complice. Pourtant ce fut sans réflexion, sans calcul et saisi par une contraction inconnue, qu'il dit :

— Je ne vais pas te laisser. J'ai des moyens d'argent et j'en trouverai d'autres ; tu seras à l'abri, soigné. Tu te retaperas le temps qu'il faut.

— Ce n'était pas pour ça que je partais, Monsieur Gerbier, dit la voix tranquille du jeune homme invisible. Je voulais être agent de liaison. Je ne veux pas prendre les tickets des copains pour ma petite santé. Je ne veux pas encombrer la résistance. Vous m'avez trop bien montré ce qu'elle était.

Gerbier se sentit physiquement incapable de répondre, et Legrain poursuivit :

— Mais quand même je suis bien content de connaître la résistance. Je ne vais plus être tellement malheureux. Je comprends la vie et je l'aime. Je suis comme Armel, maintenant. J'ai la foi.

Il s'anima un peu et d'un ton plus farouche :

— Mais ce n'est pas dans l'autre monde que j'attends la justice, Monsieur Gerbier. Dites aux amis ici et de l'autre côté de l'eau, dites-leur qu'ils se dépêchent. Je voudrais avoir le temps de voir la fin des hommes aux yeux vides.

Il se tut et le silence qui suivit, ni l'un, ni l'autre n'en mesura la durée. Sans le savoir ils avaient tous les deux le regard fixé sur la fente de la porte par où l'on voyait briller les feux du chemin de ronde. Ils se levèrent en même temps parce que ce fil lumineux sauta d'un coup. Les ténèbres de la liberté avaient rejoint les ténèbres prisonnières. Gerbier et Legrain étaient à la porte.

Contre toute prudence, contre tout bon sens Gerbier parla encore :

— Ils s'apercevront du sabotage, ils verront que je me suis évadé. Ils feront le rapprochement. Ils penseront à toi.

— Qu'est-ce qu'ils peuvent me faire de plus ? murmura Legrain.

Gerbier ne partait toujours pas.

— Au contraire je vous serai utile, dit le jeune homme. On viendra me chercher pour réparer. Je sortirai si vite qu'ils ne verront pas votre paillasse vide et je les entortillerai une bonne demi-heure encore. Vous serez loin avec le Bison.

Gerbier franchit le seuil.

— Réfléchis une dernière fois, dit-il presque suppliant.

— Je n'ai pas un caractère à être à la charge de personne, répondit Legrain. Ce n'est pas avec la résistance que je commencerai.

Gerbier glissa entre les battants sans se retourner et piqua vers le défaut des barbelés. Il l'avait étudié cent fois et il avait compté cent fois ses pas jusqu'à ce lieu.

Legrain ferma soigneusement la porte, alla vers son grabat, mordit la toile de la paillasse et resta étendu, très sage.

2

L'EXÉCUTION

Une note de l'organisation à laquelle il appartenait avait prescrit à Paul Dounat (qui s'appelait maintenant Vincent Henry) de se trouver à Marseille vers le milieu de l'après-midi et d'attendre un camarade qu'il connaissait bien devant l'Église des Réformés. Dounat était à l'endroit convenu depuis quelques minutes lorsqu'une voiture à gazogène le dépassa et s'arrêta à une trentaine de mètres en contrebas. Un homme de petite taille en descendit. Il portait un chapeau melon, un pardessus marron foncé et roulait fortement des épaules en marchant. Cet homme que Dounat n'avait jamais rencontré, alla droit à lui et dit en montrant une carte de la Sûreté :

— Police, vos papiers.

Dounat obéit. Ses fausses pièces d'identité étaient parfaites. L'homme au chapeau melon dit avec plus d'aménité :

— Je vois que vous êtes en règle, Monsieur. Je vous prierai tout de même de m'accompagner jusqu'à nos bureaux. Une simple vérification.

Dounat s'inclina. Il ne craignait pas davantage la vérification.

Près de la voiture, le chauffeur se tenait devant le marchepied. Il était massif et avait un nez écrasé de boxeur. Il ouvrit la portière et poussa Dounat à l'intérieur d'un même mouvement. L'homme au chapeau melon monta sur les talons de Dounat. L'automobile partit très vite sur la pente. Dounat vit enfoncé dans un coin, et la tête rejetée en arrière pour qu'on ne l'aperçût pas du dehors, André Roussel, qui portait aussi le nom de Philippe Gerbier et qui avait laissé pousser sa moustache. Tout le sang de Paul Dounat lui afflua au cœur d'un seul coup et il s'affaissa comme désarticulé sur un strapontin.

Le faux policier épongea sa calvitie en forme de tonsure, considéra son chapeau avec dégoût, et grommela :

— Sale boulot.

— Félix, vous avez beau détester les chapeaux melon, il faut tout de même le remettre, dit Gerbier distraitement.

— Je le sais bien, grommela Félix, mais seulement quand on descendra.

Paul Dounat songea : « C'est alors qu'ils me tueront. »

Il formula cette pensée avec indifférence. Il n'avait plus peur. Le premier choc avait épuisé en lui tout sentiment vivant. Comme toujours, et du moment qu'il n'avait pas à choisir, il s'accommodait du pire avec une docilité et une facilité étranges. Il aurait voulu seulement boire quelque chose de fort. Ses veines lui semblaient toutes creuses.

— Regardez-le, dit Félix à Gerbier. C'est bien lui qui vous a vendu et qui a vendu Zéphyr et le radio.

Gerbier approuva d'un léger mouvement de paupières. Il n'avait pas envie de parler. Il n'avait pas envie de réfléchir. Tout était rendu évident par l'attitude même de Paul Dounat : la trahison, et le mécanisme intérieur de cette trahison. Dounat avait été entraîné dans la résistance par sa maîtresse. Tant qu'elle avait pu l'animer, Dounat s'était montré utile, intelligent et courageux. Françoise arrêtée, il avait continué d'agir par inertie. Pris à son tour, mais relâché, très vite, il était devenu l'instrument de la police.

« Nous aurions dû cesser de l'employer quand Françoise a disparu, se dit Gerbier. C'est une faute. Mais on a si peu de monde et tant de missions à couvrir. »

Gerbier alluma une cigarette. À travers la fumée Dounat lui parut encore plus vague, encore plus inconsistant qu'à l'ordinaire. Bonne famille, bonnes manières… traits agréables… Un petit grain de beauté situé au milieu de la lèvre supérieure attirait l'attention sur sa bouche qu'il avait belle et tendre. La figure était lisse, sans arêtes prononcées, et s'achevait par un menton de forme indécise, un peu gras.

« Paresse manifeste de la volonté, pensait distraitement Gerbier. Il lui faut quelqu'un qui décide à sa place. Françoise, la police, et maintenant nous… Pour l'action, la délation, la mort. »

Gerbier dit à haute voix :

— Je crois, Paul, qu'il est inutile de vous donner nos preuves et de vous poser des questions.

Dounat ne releva même pas la tête. Gerbier continua de fumer. Il éprouvait cette sorte d'ennui qu'inspire une formalité fastidieuse et nécessaire. Il se prit à songer à tout ce qu'il avait à faire après. Son rapport, expédier deux instructeurs… rédiger en chiffré les messages pour Londres… le rendez-vous avec le grand patron qui arrivait de Paris… choisir le P.C. pour le lendemain.

— On ne pourrait pas se dépêcher ? demanda Gerbier à Félix.

— Je ne crois pas, dit Félix. Le Bison connaît son métier comme personne. Il conduit le plus vite qu'on peut, sans se faire remarquer.

Dounat, son menton appuyé sur une main, regardait du côté de la mer.

— Je suis pressé moi aussi, poursuivit Félix. J'ai ce vieux poste à revoir. Je dois changer le guidon au vélo du petit agent de liaison. Et puis il y a la réception du parachutage cette nuit.

— Les nouveaux faux papiers ? demanda Gerbier.

— Je les ai sur moi, dit Félix. Je vous les donne tout de suite ?

Gerbier inclina la tête.

Paul Dounat comprenait parfaitement que si les deux hommes parlaient avec tant de liberté en sa présence, c'est qu'ils se sentaient assurés de son silence, de son silence éternel. Leurs préoccupations rejoignaient déjà le moment – et ce moment était proche – où il serait effacé de l'ordre humain. Mais cette condamnation laissait Dounat sans anxiété, ni trouble. Pour lui également, sa mort était un fait acquis. Elle appartenait en quelque sorte au passé. Le présent seul avait une valeur et un sens. Et maintenant que la voiture avait doublé la pointe du Vieux-Port, le présent était formé tout entier, et avec une intensité prodigieuse, par cette étendue d'eau bleue, ces îlots crénelés comme des galères antiques, ces collines arides et pures, couleur de sable clair, qui semblaient supporter le ciel de l'autre côté du golfe.

Soudain, parce que la voiture passait devant un hôtel de la Corniche que Dounat reconnut, la figure de Françoise rassembla, absorba tous les traits épars de cette magnificence. Françoise se tenait au bord de la terrasse qui surplombait la mer.

Elle avait une robe d'été qui lui laissait le cou et les bras nus. Elle portait la lumière et la chaleur du jour dans la matière généreuse de son visage. Dounat caressait d'un mouvement léger et familier la belle nuque de Françoise ; elle renversait un peu la tête, et Dounat voyait sa gorge, ses épaules, sa poitrine se gonfler, s'épanouir, comme ces plantes qui, d'un seul coup, mûrissent. Et Françoise l'embrassait sur le grain de beauté qu'il avait au milieu de la lèvre supérieure.

Sans en avoir conscience, Dounat toucha cette petite tache brune. Sans en avoir davantage conscience, Gerbier toucha la moustache encore rêche qu'il portait depuis son évasion du camp de L... Félix considérait son chapeau melon avec dégoût.

Un tournant de la route déroba l'hôtel au regard de Paul Dounat. L'image de Françoise à la tête renversée disparut. Dounat ne s'en étonna point. Ces jeux appartenaient à un autre âge du monde. La vie souterraine, alors, n'avait pas commencé.

Félix frappa du bord de son chapeau melon contre la vitre qui le séparait du chauffeur. Puis il enfonça le chapeau melon sur sa tête au sommet chauve. La voiture s'arrêta. Paul Dounat cessa de contempler la mer et se tourna vers l'autre côté du boulevard. Il y avait là une colline à pente très vive qui portait sur son flanc un quartier de petits pavillons et de petites villas paisibles, humbles et misérables. L'automobile se trouvait au bas d'une ruelle sans asphalte ni pavé, qui montait entre ces maisons basses et ces tristes jardinets comme un sentier de montagne.

Le chauffeur baissa la vitre placée derrière lui et dit à Gerbier :

— Le gazo ne va pas l'avoir facile sur ce raidillon.

— Et il fera un bruit… tout le monde sera aux fenêtres, dit Félix.

Gerbier posa ses yeux rapprochés par l'attention sur le profil de Paul Dounat. Celui-ci, sans expression, était orienté de nouveau vers la mer.

— Nous irons à pied, dit Gerbier.

— Je vous accompagne alors, dit le chauffeur.

Il avait la voix éraillée des hommes qui ont trop fumé, trop bu, et qui ont eu à crier longtemps des ordres. Sa face massive et hâlée bouchait presque entièrement l'encadrement de la vitre.

Gerbier regarda encore une fois Dounat et dit :

— Ce n'est pas la peine, Guillaume.

— Vraiment pas, dit Félix.

Le chauffeur considéra à son tour Paul Dounat et grommela :

— Je pense comme vous.

Gerbier attendit que fût passé un tramway gémissant et peuplé de voyageurs jusque sur le marchepied. Puis il ouvrit la portière, Félix prit un bras de Dounat et Gerbier prit l'autre.

— Je vais chercher les caisses et je serai revenu à la nuit, pour le corps, dit le chauffeur en embrayant.

Dounat gravissait la ruelle abrupte, serré entre Félix et Gerbier, comme entre deux amis et il pensait à la manière dont les communistes se débarrassaient parfois de leurs traîtres. On attirait l'homme, de nuit, au bord de la mer, on l'assommait, on le déshabillait, on l'enroulait dans un treillage en fil de fer, et on le jetait à l'eau. Les crabes à travers les mailles dévoraient entièrement le corps. Françoise était avec Dounat le soir où il avait entendu ce récit. Un mouvement de passion impitoyable avait enflammé le visage de Françoise à l'ordinaire si doux et si gai. « Je voudrais prendre part à une opération pareille », avait dit Françoise. « Il n'y a pas de mort assez sale pour les gens qui vendent leurs camarades. » Paul Dounat se souvenait de ce cri et aussi du cou de sa maîtresse qui était devenu tout rose, et il montait docilement entre Gerbier et Félix la haute ruelle poudreuse.

Sur le pas des portes, on voyait, parfois, une femme en jupe noire, mal coiffée, secouer paresseusement un tapis. Des enfants jouaient dans les petits jardins sordides. Un homme appuyé contre une clôture grattait ses chevilles nues dans des pantoufles en regardant les trois passants. À chacune de ces rencontres, Félix serrait le revolver que sa main ne lâchait pas au fond de sa poche et grondait dans l'oreille de Paul Dounat :

— Un seul mot et je t'abats tout de suite.

Mais Gerbier sentait bien dans le bras qu'il tenait, la même mollesse et la même obéissance. Il éprouva de nouveau un sentiment d'ennui profond.

Ils tournèrent enfin dans une impasse étroite, bordée de murs aveugles, et bouchée au fond par deux pavillons jumeaux accolés l'un à l'autre. Les persiennes étaient relevées dans celui de gauche.

— Nom de Dieu, dit Félix, en s'arrêtant brutalement.

Sa figure franche et ronde était toute désemparée.

— Le nôtre, dit-il à Gerbier, c'est le pavillon de droite qui a les volets fermés.

Félix jura encore.

— L'autre jour, quand nous avons loué, la bicoque voisine était vide, reprit-il.

— C'est évidemment fâcheux, mais raison de plus pour ne pas se faire remarquer, dit Gerbier. Allons.

Les trois hommes furent vite au bout de l'impasse. Alors la porte du pavillon de droite parut s'ouvrir toute seule et ils pénétrèrent à l'intérieur. Le garçon qui se tenait derrière la porte, la repoussa aussitôt, rabattit le volet du judas, donna un tour de clé. Tous ses mouvements s'étaient faits sans bruit. Mais il y avait dans leur précipitation et leur cadence une tension nerveuse mal contenue. Et Gerbier en perçut également le témoignage quand il entendit un chuchotement saccadé.

— La pièce du fond… allez donc dans la pièce du fond…

Félix poussa Dounat par la nuque et le suivit.

— C'est lui... le traître… qu'il faut... demanda d'une voix à peine perceptible le garçon qui avait accueilli le groupe.

— C'est lui, dit Gerbier.

— Et vous êtes le chef ?

— Je suis chargé de l'opération, dit Gerbier.

Ils entrèrent à leur tour dans la pièce du fond. Les persiennes étaient tirées, et, après l'éclat du jour, l'obscurité semblait profonde au premier abord. Mais il entrait assez de lumière à travers les lattes mal jointes pour que l'on pût, au bout de quelques instants, y voir avec netteté. Ainsi Gerbier distingua les écailles de plâtre qui tremblaient au plafond, les taches d'humidité sur les murs, les deux chaises dépareillées, le matelas posé à même la terre, et couvert d'une courtepointe. Et il put examiner le camarade choisi par Félix pour aider à l'exécution de Dounat. C'était un grand jeune homme droit, maigre, habillé modestement, avec une figure au dessin aigu et sensible. Il avait les yeux un peu saillants, exaltés.

Félix pointa son chapeau melon dans la direction du jeune homme et dit à Gerbier :

— Voilà Claude Lemasque.

Gerbier sourit à demi. Il savait que les surnoms livraient souvent une partie du caractère quand les gens les choisissaient pour eux-mêmes. Celui-là était venu à la résistance avec la religion des sociétés secrètes.

— Il pleure depuis longtemps pour être d'un coup dur, ajouta Félix.

Lemasque dit précipitamment à Gerbier :

— Je suis venu il y a plus d'une heure, pour tout mettre en ordre. C'est alors que j'ai vu le désastre à côté. Ils sont arrivés ce matin, ou dans la nuit au plus tôt. Hier soir je suis passé par ici et il n'y avait personne. Quand j'ai vu les volets ouverts, j'ai couru téléphoner à Félix, mais il était déjà en route. Il n'y avait rien à faire, n'est-ce pas ?

— Absolument rien, je vous assure, absolument rien, dit Gerbier, avec toute la lenteur et toute l'égalité de ton qu'il put mettre dans ces quelques mots.

Ce garçon parlait trop, parlait trop bas, parlait trop vite.

— L'endroit est bon, dit Gerbier, on s'arrangera.

— Nous pouvons passer à l'interrogatoire si vous voulez bien, dit Lemasque. Tout est prêt là-haut dans le grenier. C'est un peu comme un tribunal. J'ai mis des fauteuils, une table, du papier.

Gerbier sourit à demi et dit :

— Il ne s'agit pas d'un procès.

— Il s'agit de cela, dit impatiemment Félix.

Il avait tiré de sa poche la crosse du revolver qu'il n'avait pas cessé de palper. Le métal brilla dans la pénombre. Lemasque porta pour la première fois les yeux vers Dounat. Celui-ci était adossé à un mur et ne regardait personne.

Les hommes qui l'entouraient continuaient à manquer d'épaisseur et de réalité. Mais les choses étaient armées d'un pouvoir qu'il ne leur avait jamais connu. Le plafond écaillé, les cloisons moisies, et les meubles semblaient attendre, observer et comprendre. Les objets avaient le relief, la substance et la densité de la vie que Dounat n'avait plus. Cependant ses yeux avaient fini par se fixer sur le couvre-pieds d'un rouge brun et terne. Dounat le reconnaissait. Dans les hôtels douteux, dans les pauvres maisons de passage, où, entre deux missions, il avait eu la chance de croiser Françoise, Dounat avait toujours vu ce couvre-pieds. C'était encore un autre âge du monde. Les raffinements n'y avaient plus de place. Les hasards, les périls de l'action secrète, donnaient leur forme et leur couleur à l'amour. Françoise s'asseyait sur le couvre-pieds rouge, redressait sa coiffure et racontait d'une voix étouffée et heureuse la trame de ses journées et de ses nuits. Elle aimait ce travail, elle aimait les chefs, elle aimait les camarades, elle aimait la France. Et Dounat sentait qu'elle reportait physiquement cette passion sur lui. Alors lui aussi il aimait la résistance. Il n'était plus harassé, il n'était plus anxieux de vivre sans logis et sans nom. Il n'était plus l'homme illégal, traqué, perdu. Sous le couvre-pieds rouge il se serrait contre les épaules et les seins de Françoise. Ce corps chaud, exalté, courageux devenait une sorte de tanière merveilleuse, un lieu d'asile. Une extraordinaire sécurité étoilée enveloppait le plaisir.

— Eh bien ? demanda Félix en sortant complètement son revolver.

— C'est impossible... c'est impossible... dit Lemasque. Je suis ici avant vous. On entend tout... Tenez...

Dans le pavillon voisin une petite fille commença de chanter une mélodie grêle et monotone. La chanson parut s'élever de la chambre même.

— Ce ne sont pas des murs, mais du papier à cigarettes, dit Lemasque avec fureur.

Félix remit son revolver dans sa poche, et jura.

— Ces sacrés Anglais ne nous enverront donc jamais les silencieux qu'on leur demande.

— Venez avec moi, dit Gerbier. Nous allons voir s'il n'y a pas un coin plus propice.

Gerbier et Félix quittèrent la pièce. Lemasque se plaça vivement devant la porte comme si Dounat avait voulu s'enfuir. Mais Dounat ne fit aucun mouvement.

Rien ne se passait comme Lemasque l'avait cru. Il s'était préparé avec une exaltation profonde à un acte terrible, mais plein de solennité. Trois hommes siégeaient : un chef de l'organisation, Félix, lui-même. Devant eux le traître défendait sa vie par des mensonges, par des cris désespérés. On le confondait. Et Lemasque le tuait, fier de trouer un cœur criminel. Au lieu de cette justice farouche… une chanson de petite fille, les pas de ses complices qui résonnaient à l'étage supérieur et devant lui cet homme aux cheveux châtain clair, jeune, de figure triste et docile, avec son grain de beauté au milieu de la lèvre et qui regardait obstinément un couvre-pieds rouge.

En vérité, Dounat ne voyait plus d'édredon. Ce qu'il voyait maintenant, c'était Françoise nue, au milieu de policiers qui la tourmentaient. Dounat s'appuyait de plus en plus contre le mur. Il se sentait près de l'évanouissement. Mais il n'y avait pas seulement de l'épouvante au fond de sa faiblesse.

La petite fille continuait de chanter. Sa voix inégale et fragile répandait dans les nerfs de Lemasque une anxiété insupportable.

— Comment avez-vous pu ? demanda-t-il soudain à Paul Dounat.

Celui-ci releva machinalement la tête. Lemasque ne pouvait deviner la nature des images qui faisaient à Dounat ces yeux humbles, honteux et troubles. Mais il y vit une telle misère humaine qu'il eut envie de crier.

Gerbier et Félix reparurent.

— Rien à faire, dit le dernier. La cave communique avec la cave voisine et le grenier est encore plus sonore qu'ici.

— Il faut pourtant faire quelque chose, il le faut, murmura Lemasque dont les mains maigres commençaient à s'agiter d'impatience. Félix serra les poings et dit :

— Il faudrait un couteau solide. Le Bison en a toujours un sur lui.

— Un couteau ? murmura Lemasque. Un couteau... Tu n'y penses pas sérieusement.

La figure ronde et franche de Félix devint très rouge.

— Est-ce que tu crois que c'est pour le plaisir, imbécile ? dit Félix d'un ton presque menaçant.

— Si tu essaies, je t'en empêche, chuchota Lemasque.

— Et moi je vais te casser les dents, dit Félix.

Gerbier sourit, de son demi-sourire.

— Regardez dans la salle à manger et dans la cuisine si vous trouvez quelque chose qui puisse servir, dit-il à Félix.

Lemasque s'approcha fébrilement de Gerbier et lui dit à l'oreille :

— C'est impossible, réfléchissez, je vous en supplie. C'est un assassinat.

— De toute façon, nous sommes ici pour tuer, dit Gerbier. Vous êtes d'accord ?

— Je… Je suis d'accord… balbutia Lemasque. Mais pas comme cela…. Il faut…

— La manière, je sais, je sais, dit Gerbier.

Lemasque n'était pas habitué à ce demi-sourire.

— Je n'ai pas peur, je vous jure, dit-il.

— Je sais, je sais bien… C'est tout à fait autre chose, dit Gerbier.

— Je fais cela pour la première fois, vous comprenez, reprit Lemasque.

— Pour nous aussi, c'est la première fois, dit Gerbier. Je pense que cela se voit.

Il regarda Paul Dounat qui s'était un peu redressé. Sa faiblesse avait disparu et l'image de Françoise. Le dernier âge du monde était arrivé. La porte s'ouvrit.

— Saleté de maison, dit Félix, les mains vides.

Il avait l'air très fatigué et ses yeux allaient de tous côtés à travers la pièce, mais en évitant l'endroit où se trouvait Dounat.

— J'ai pensé, reprit sourdement Félix, j'ai pensé que peut-être en le laissant ici jusqu'à la nuit, jusqu'à l'arrivée du Bison, on ferait mieux.

— Non, dit Gerbier, nous sommes tous très occupés, et puis je veux rendre compte au patron que l'affaire est terminée.

— Nom de Dieu de nom de Dieu, on ne peut tout de même pas lui défoncer le crâne à coups de crosse, dit Félix.

Paul Dounat fit à cet instant son premier mouvement spontané. Il battit faiblement des bras, et plaça ses paumes ouvertes devant son visage. Gerbier comprit à quel point Dounat redoutait la souffrance physique.

« Beaucoup plus que la mort », pensa Gerbier. « C'est par-là que les policiers l'ont obligé à trahir. »

Gerbier dit à Félix :

— Mettez-lui un bâillon.

Quand Félix eut enfoncé son épais mouchoir à carreaux dans la bouche de Dounat et que Dounat fut tombé sur le matelas, Gerbier dit nettement :

— L'étrangler.

— Avec… les mains ?… demanda Félix.

— Non, dit Gerbier, il y a un torchon dans la cuisine, qui fera très bien.

Lemasque se mit à marcher à travers la chambre. Il ne s'apercevait pas qu'il tirait si fort sur ses doigts que les jointures craquaient. Soudain il se boucha les oreilles. La petite fille dans la maison voisine recommençait à chanter. Son visage avait une telle expression que Gerbier eut peur de le voir céder à une crise de nerfs. Il vint à Lemasque et lui rabattit brutalement les poignets.

— Pas d'histoires, je vous prie, dit Gerbier. Il faut que Dounat meure. Vous êtes venu pour cela et vous nous aiderez. Un de nos radios a été fusillé par sa faute. Un camarade crève en Allemagne, cela ne vous suffit pas ?

Le jeune homme voulut parler. Gerbier ne lui en laissa pas le loisir.

— Vous êtes employé à la Mairie, je sais et aussi officier de réserve. Et votre métier n'est pas d'étouffer un homme sans défense. Mais Félix est garagiste et je suis ingénieur. Seulement en vérité, vous et Félix et moi nous ne sommes plus rien que des hommes de la résistance. Et cela change tout. Auriez-vous pensé, avant, que vous alliez fabriquer avec joie de faux cachets, de faux tampons, de faux documents, que vous seriez fier d'être faussaire ? Vous avez demandé à faire quelque chose de plus difficile. Vous êtes servi. Ne vous plaignez pas.

Félix était revenu sans bruit et il écoutait.

— Nous avons un spécialiste pour les exécutions, continua Gerbier. Mais il n'est pas libre aujourd'hui. Et tant mieux. Il faut que chacun ait sa part du plus dur. Il faut apprendre. Ce n'est pas de la vengeance. Ce n'est même pas de la justice. C'est une nécessité. Nous n'avons pas de prison pour nous protéger des gens dangereux.

— C'est juste, dit Félix. Je suis content de vous avoir entendu.

Sa figure franche et ronde avait repris une sorte de sérénité implacable. Il étira soigneusement le long et raide torchon de cuisine qu'il avait apporté. Lemasque tremblait toujours. Mais son tremblement allait s'affaiblissant comme à la fin d'un accès de fièvre.

— Portez Dounat sur cette chaise, dit Gerbier. Félix se mettra devant lui. Je tiendrai les bras, et Lemasque tiendra les genoux.

Dounat ne résista point.

Et vaguement étonné de voir que tout se déroulait avec tant de facilité – surtout intérieure –, Gerbier vint se placer derrière le dossier de la chaise que la tête de Paul Dounat dépassait. Mais au moment de saisir Dounat par les épaules, Gerbier hésita. Il venait de voir, sur le cou de Dounat, un peu plus bas que l'oreille, un grain de beauté pareil à celui que Dounat avait sur la lèvre supérieure. À cause de cette petite tache, la chair qui l'environnait semblait plus vivante, plus tendre, et friable, comme une parcelle d'enfance. Et Gerbier sentit que cette chair n'était pas d'un grain capable de supporter la torture. Par cette chair, la trahison de Dounat devenait innocente. Le Bison pouvait affronter la question. Et Félix. Et Gerbier lui-même. Mais pas Dounat, et sans doute pas davantage le jeune homme qui, accroché aux genoux du condamné, respirait comme on râle.

En face de Gerbier, Félix attendait que le chef fît un signe. Mais les bras de Gerbier étaient si lourds qu'il ne pouvait pas les poser sur les épaules de Dounat.

« À coup sûr, Félix, en ce moment, a une figure plus affreuse que ce malheureux », pensa Gerbier.

Puis il pensa à la bonhomie, à la fidélité, au courage de Félix, à sa femme, à son petit garçon maladif et sous-alimenté, à tout ce que Félix avait fait pour la résistance. Ne pas tuer Dounat c'était tuer Félix. Dounat vivant livrerait Félix. Cela aussi était inscrit dans la petite tache brune et la chair trop tendre du cou. Gerbier eut soudain la force de lever les bras. Ce n'était pas la faute de Paul Dounat s'il allait mourir et ce n'était pas la faute de ceux qui l'assassinaient. Le seul, l'éternel coupable, était l'ennemi qui imposait aux Français la fatalité de l'horreur.

Les mains de Gerbier retombèrent sur les épaules de Dounat. Mais en même temps Gerbier lui dit à l'oreille :

— Je te le jure, mon pauvre vieux, tu n'auras pas mal.

Le torchon roulé s'abattit sur la nuque faible. Félix tira sauvagement aux deux bouts. Gerbier sentit la vie s'épuiser très vite dans les bras qu'il tenait. Il lui sembla que leurs convulsions passaient dans son corps. Chacune d'elles accumulait en Gerbier une nouvelle force de haine contre l'Allemand et contre ses serviteurs.

Gerbier fit porter le corps de Dounat sur le matelas et le recouvrit de l'édredon rouge.

Il alla à la fenêtre. À travers les fentes des persiennes, on voyait un terrain vague. L'endroit était bien choisi.

Félix mettait son chapeau melon. Ses jambes courtes et fortes étaient peu sûres.

— On s'en va ? demanda-t-il d'une voix enrouée.

— Un instant, dit Gerbier.

Lemasque s'approcha de Gerbier. Son visage aigu et nerveux était couvert de sueur.

— Je ne croyais pas, dit-il, qu'on pût faire tant pour la résistance.

Il se mit à pleurer silencieusement.

— Moi non plus, dit Gerbier.

Il jeta un regard rapide sur l'édredon rouge et dit avec bonté à Lemasque :

— Il faut toujours avoir sur soi des pilules de cyanure. Et si vous êtes pris, il faut vous en servir, mon vieux.

3

L'EMBARQUEMENT POUR GIBRALTAR

I

Jean-François marchait très vite le long de la Promenade des Anglais, bien qu'il fût trop tôt pour rejoindre, dans un bar à la mode, quelques camarades qui s'y réunissaient chaque jour, réfugiés de Paris comme lui et comme lui désœuvrés. Jean-François marchait vite à cause du soleil, de la mer qui brisait sur les galets et à cause de sa jeunesse. Avant d'arriver à la place Masséna, Jean-François s'arrêta devant une chemiserie de luxe. Il y avait à la vitrine des robes de chambre en très belle soie et que l'on pouvait acheter sans tickets. Jean-François n'avait aucun besoin de robe de chambre. Cependant il entra dans le magasin. Il fallait bien faire quelque chose. Le vendeur lui sourit parce que tout le monde souriait à Jean-François qui était beau, fort, simple et qui avait des yeux bleus sans arrière-pensée. Et parce que le vendeur lui souriait, Jean-François acheta deux robes de chambre. Il sortit, se trouva très bête et rit tout seul. À ce moment, il aperçut un homme en paletot de cuir, de petite taille, mais puissant de torse et d'encolure et qui fonçait, plus qu'il ne marchait, en roulant terriblement les épaules.

— Félix, cria Jean-François, de toutes ses forces. Félix La Tonsure.

L'homme se retourna d'un mouvement dur et vif, reconnut Jean-François et seulement alors sourit. Ils avaient servi dans le même corps franc pendant la guerre.

— Tu n'as pas changé, bébé, dit Félix ; toujours jeune et beau.

— Et toi, fais voir… dit Jean-François.

Il voulut soulever le chapeau mou de Félix La Tonsure pour rire de la calvitie qui lui avait valu son surnom. L'autre l'en empêcha.

— J'ai peur des courants d'air, dit-il d'un ton bref.

— Par quelle chance te voilà à Nice ? Et ton garage de Levallois ? demanda Jean-François.

— Les Fritz voulaient que je travaille à leurs réparations. Alors tu comprends je leur ai laissé des clous, dit Félix.

Son visage plein et vivant avait pris cette expression sommaire que Jean-François lui avait vue en embuscade ou en patrouille. C'était un homme courageux, rond, tout en dehors, comme Jean-François les aimait.

— On va boire, dit-il.

Mais Félix refusa. On boirait après. D'abord il voulait parler à Jean-François.

Ils prirent une rue plus calme.

— Qu'est-ce que tu fais dans le civil en ce moment ? demanda Félix.

— Mais rien du tout, dit Jean-François.

— Et contre les Boches ?

— Mais… rien non plus, dit Jean-François, plus lentement.

— Pourquoi ?

— Je ne sais trop… dit Jean-François. Comment s'y prendre ? Seul, on ne peut rien… Et autour de moi, personne…

— Eh bien j'ai du boulot pour toi, fainéant, dit Félix. Ça t'ira mieux qu'une fleur. Des papiers secrets à porter en douce et des armes à cacher et faire l'instruction à des petits gars épatants et déjouer les flics et la Gestapo. Un vrai boulot de corps franc. La belle vie.

— La belle vie, répéta Jean-François.

Celle qu'il menait lui était devenue insupportable d'un seul coup.

— Faudra te lever de bonne heure, dit Félix, et passer des nuits en route sans chercher à savoir, à comprendre.

— J'aime le mouvement et je ne suis pas curieux, tu le sais, dit Jean-François.

Félix La Tonsure reposa un instant ses yeux sur les épaules athlétiques de son compagnon, sur son beau visage résolu et clair.

— Des gars d'assaut comme toi, on en a besoin, dit Félix, je n'ai pas perdu ma journée.

Ils firent quelques pas en silence, contents l'un de l'autre. Puis Félix reprit :

— Tu viendras me voir demain à Marseille. J'ai pris là-bas un petit atelier pour vélos. De la sorte je nourris mes gosses et j'ai une couverture. Je vais te donner l'adresse.

Jean-François chercha un agenda dans ses poches.

— Pas de ça, mon gars, pas de ça ! s'écria Félix, rien d'écrit, jamais. Tout par cœur, tout dans la mémoire.

Félix regarda fixement Jean-François et continua :

— Et tu n'as plus de langue. Pas un mot à personne. Compris ?

— Je ne suis pas fou, dit Jean-François.

— Tout le monde répond la même chose, remarqua Félix. Et puis il se trouve qu'on a une femme...

Jean-François haussa les épaules.

— Ou des parents à qui on ne cache rien, poursuivit Félix.

— Mon père et ma mère sont morts et j'ai seulement un frère aîné qui n'a pas voulu quitter Paris, dit Jean-François.

Il se mit soudain à rire et ajouta :

— Je l'adore, mais il n'y a pas de danger que je lui confie quelque chose. C'est un bébé.

Félix regarda la figure si fraîche de Jean-François et rit à son tour.

— Et tu es un connaisseur, dit Félix.

Il donna son adresse à Jean-François et ils entrèrent dans le premier café qu'ils trouvèrent. C'était, par chance, un jour avec alcool.

II

Cette vie était vraiment une vie faite pour Jean-François. Tous les éléments qui pouvaient lui plaire s'y trouvaient rassemblés : l'exercice violent du corps, le risque et la joie de passer à travers les mailles, la camaraderie, l'obéissance à un chef d'équipe qu'il aimait. D'autres prenaient le soin de réfléchir et d'ordonner. Il n'avait que l'amusement. Il courait, à bicyclette, les belles routes rouges de la côte. Il roulait en chemin de fer vers Toulouse, Lyon ou la Savoie. Il passait en zone interdite, malgré les douaniers allemands et leurs chiens. Il portait des plis chiffrés, des explosifs, des armes, des postes émetteurs. Dans des granges, des criques, des caves, des clairières, il enseignait à des gens simples, sérieux et passionnés, l'usage des mitraillettes anglaises. Il se présentait à eux sous un faux nom, et il ne savait pas qui ils étaient. Ils s'aimaient pourtant d'une tendresse et d'une confiance sans égales. Un matin, il fit plusieurs kilomètres à la nage avec des lunettes sous-marines pour repérer un colis mystérieux, qu'un bateau mystérieux avait mouillé en mer. Une nuit de lune, il recueillit des parachutes tombés du ciel profond.

Félix La Tonsure (Jean-François continuait à ne connaître que lui dans les cadres de l'organisation) ne ménageait ni la fatigue ni le danger à son camarade de corps franc.

— Avec la tête de bébé que tu as, on se tire de tout, disait-il.

C'était vrai. Et Jean-François le sentait. Et cette complicité, cette amitié du sort, redoublaient sa force, son audace et son plaisir.

L'action secrète était une sorte de poix. Elle absorbait toujours davantage. Plus on avait fait et plus il restait à faire. Les besoins étaient énormes. Les hommes décidés et libres de leur temps et de leur argent étaient peu nombreux. Jean-François ne couchait plus deux nuits de suite sous le même toit. Il vivait au sein du danger. Il était devenu insensiblement l'homme des coups les plus hasardeux. Il le devait à son endurance, à son habileté, à sa hardiesse heureuse. Il n'avait point pour cela pénétré plus avant dans les secrets de l'organisation à laquelle il appartenait. Il relevait – ainsi qu'une poignée de garçons intrépides – uniquement de Félix La Tonsure. Félix recevait ses ordres d'un échelon supérieur. Au-delà c'était l'obscurité complète. Mais le mystère n'irritait pas, n'intriguait pas et même n'intéressait pas Jean-François. Il n'en sentait ni le poids ni la poésie. Il était né pour le mouvement et le jeu. Les gens inconnus qui disposaient, sans le connaître, de son existence lui en donnaient sans cesse et d'une intensité singulière. Il était comblé.

III

Une mission qui mena Jean-François à Paris lui montra combien il était formé et pris par la vie clandestine.

Quand Jean-François débarqua à la gare de Lyon, il portait une valise qui contenait un poste émetteur anglais, parachuté quelques jours auparavant dans un département du centre. Un homme pris avec un pareil bagage était voué à mourir dans les tortures.

Or, ce matin-là, des agents de la Gestapo et de la Feldgendarmerie contrôlaient tous les colis à la sortie de la gare.

Jean-François n'eut pas le temps de réfléchir. Près de lui un enfant aux gros genoux, aux mollets grêles, trottait péniblement derrière une femme âgée. Jean-François prit l'enfant contre sa poitrine et tendit en même temps sa valise à un soldat allemand qui s'en allait les bras ballants.

— Porte ça, mon vieux, dit Jean-François en souriant. Je n'y arriverai jamais seul.

Le soldat allemand regarda Jean-François, sourit aussi, prit la valise et passa sans examen. Quelques instants après, Jean-François était assis dans un compartiment de métro, sa valise entre les jambes.

Mais la matinée n'était pas bonne. À la station où Jean-François s'arrêta, il trouva un nouveau barrage formé, cette fois, par la police française. Jean-François dut ouvrir sa valise.

— Qu'est-ce que vous avez là ? demanda l'agent.

— Vous le voyez bien, brigadier, dit Jean-François avec simplicité : un appareil de T.S.F.

— Alors, ça va, passez, dit l'agent.

Riant encore de ces deux réussites, Jean-François, remit le poste émetteur à un revendeur de meubles de la rive gauche. Celui-ci le pria à déjeuner. Il avait justement échangé la veille une table de nuit contre une belle andouillette fumée et un peu de beurre et il voulait à tout prix partager ce festin avec son camarade.

— Venez sentir ça, dit le marchand.

Il conduisit Jean-François dans l'arrière-boutique. Sur un poêle de fonte l'andouillette grillait doucement. Jean-François sentit ses narines remuer. Mais il refusa. Il avait une surprise à faire.

La valise de Jean-François était d'une légèreté merveilleuse. Et lui, malgré une nuit de voyage très fatigante, il était merveilleusement dispos. Il traversa à pied la moitié de Paris. Le pullulement des uniformes ennemis, le dur et triste silence des rues ne purent entamer sa bonne humeur. Ce matin, c'était lui qui avait remporté une victoire.

Balançant sa valise et sifflant la marche de son ancien régiment, Jean-François arriva dans l'avenue de la

Muette, devant un petit hôtel absurde et charmant, construit à la fin de l'autre siècle et qui appartenait à son frère aîné. Il y avait dans cet hôtel de beaux tableaux, des livres sans nombre et quelques instruments précieux de musique. Il y avait eu aussi, avant l'invasion, une femme silencieuse et fine, et un petit garçon batailleur qui avait les yeux de Jean-François. La mère et l'enfant étaient partis pour la campagne à l'arrivée des Allemands et n'étaient plus revenus. Mais le frère de Jean-François, n'avait pas quitté sa maison à cause des tableaux, des instruments de musique et des livres.

Jean-François interdit à la vieille bonne de l'annoncer et ouvrit sans bruit la porte de la bibliothèque. Il y vit son frère enfoncé dans un fauteuil et lisant un volume épais. On ne distinguait presque pas son visage parce qu'il portait un gros manteau au col relevé et un bonnet de laine très enfoncé sur les yeux. Cela parut comique à Jean-François. Encore tout échauffé par sa marche rapide, il ne sentait pas que la maison était glacée.

— Salut, Saint-Luc, cria Jean-François.

Son frère s'appelait tout bonnement Luc. Mais pour son égalité de caractère, son goût de la vie spirituelle, et pour sa bienveillance envers tous les hommes, quelques camarades de classe l'avaient baptisé Saint-Luc. Le nom lui était resté dans la famille.

— Le petit Jean, le petit Jean, dit Luc, dont la tête arrivait tout juste au niveau des épaules de Jean-François.

Les deux frères s'embrassèrent... Il y avait une assez grande différence d'âge entre eux, mais elle n'en imposait pas à Jean-François. Il se sentait tellement plus fort, plus pratique, plus adroit que son frère.

— Tous les bouquins sont là et le clavecin et le haut-bois, dit Jean-François. Alors, la vie est toujours belle.

— Toujours, toujours, dit Luc tendrement.

Puis il demanda :

— Mais comment es-tu venu, petit Jean ? J'espère que tu as un *ausweis*[1] ?

— Oh ! oh ! Saint-Luc n'est plus dans les nuages. Saint-Luc lui-même sait qu'il faut un *ausweis*, s'écria Jean-François.

Il se mit à rire et Luc aussi. Jean-François riait très haut et Luc presque silencieusement. Mais, sur des registres différents c'était la même qualité de rire.

— Oui, j'ai un *ausweis*, Saint-Luc, reprit Jean-François. Et même… et même…

Jean-François s'arrêta un instant, parce qu'il avait été sur le point de dire que son sauf-conduit était faux et admirablement imité. Il acheva :

— Et même je meurs de faim.

— On va déjeuner, tout de suite, dit Luc.

Il appela la vieille servante et lui demanda :

— Qu'est-ce que nous avons de bon aujourd'hui ?

— Mais des rutabagas, comme hier, Monsieur Luc, dit la servante.

— Ah ! ah ! et puis ?

— Du fromage sans tickets, dit la bonne[2].

— Ah ! ah ! dit Luc.

Il regarda Jean-François avec une expression coupable.

— Il reste encore un peu de beurre que Madame a envoyé de la campagne la semaine dernière, dit la bonne. Mais on n'a pas de pain pour le mettre dessus.

1. Ce récit appartient à l'époque où la France était coupée en deux par une sorte de frontière intérieure et où, pour passer d'une zone à l'autre, il fallait un sauf-conduit des Allemands.

2. C'est-à-dire sans aucune vertu nutritive.

— J'ai des tickets de pain en masse, s'écria Jean-François. Et même…

Il s'arrêta encore. Ces tickets avaient été volés pour le compte de l'organisation, par un employé de mairie, et Jean-François avait failli le dire.

— Et même je peux vous les laisser, ajouta Jean-François.

La bonne prit la carte de tickets avec une sorte de dureté avide et courut à une boulangerie.

— Tu t'arranges bien mal, dit en haussant le ton, Jean-François à son frère. Tu étais gourmand pourtant.

— Je le suis toujours, soupira Luc, mais que veux-tu…

— Et le marché noir, la débrouille ? demanda Jean-François.

— La vieille Marion a peur des gendarmes, dit Luc. Et moi…

— Et toi aussi, Saint-Luc, dit Jean-François avec beaucoup d'amitié et un peu de dédain.

Ils prirent leur repas dans la cuisine qui était la seule pièce où il y eut du feu. Luc garda son manteau et son bonnet.

— J'emmagasine la chaleur, dit-il.

— Eh bien moi j'ai eu chaud à en mourir deux fois, ce matin, s'écria Jean-François.

Il s'arrêta une fois encore et expliqua :

— Dans ces trains et ces métros bondés on étouffe.

À ce moment Jean-François se souvint du revendeur de meubles et regretta d'avoir refusé son invitation. Puis il eut honte. Il préférait une andouillette à la société de son frère qu'il n'avait pas vu depuis deux ans. Mais comme Luc l'interrogeait sur le détail de son voyage, Jean-François comprit que s'il avait tant envie de se trouver dans l'arrière-boutique du marchand c'est que là il aurait pu parler de son faux *ausweis*, et faire admirer l'habileté du truquage, et il aurait pu dire l'origine de ses tickets de pain, et il aurait pu surtout raconter longuement ses deux aventures du jour et bien d'autres encore et rire des policiers allemands et français. Et le revendeur dont le magasin servait d'entrepôt, de relais et de boîte aux lettres, aurait su, de son côté, cent histoires admirables.

Et Jean-François sentit que le petit brocanteur qu'il venait à peine de connaître lui était plus proche que le frère qu'il avait toujours chéri et qu'il continuait de chérir, mais avec lequel il n'avait plus rien de commun que des souvenirs. La vie, la vraie vie, dans toute sa chaleur, dans toute sa profonde et puissante richesse, il pouvait la partager seulement avec des gens comme Félix ou le Bison, ou cette ouvrière tuberculeuse qui l'avait caché pendant deux jours, ou comme le chauffeur de locomotive aux yeux si clairs dans leur gaine de suie qui l'aidait à passer des armes.

Jean-François avait déjà éprouvé ce sentiment pendant la guerre, pour ses camarades de corps franc. Mais alors il pouvait parler d'eux et de son existence parmi eux à la France entière. À présent il fallait tout cacher sauf aux compagnons de la guerre secrète. Et cela faisait d'eux pour Jean-François son vrai peuple.

Félix avait accordé trois jours dans Paris à Jean-François, mais celui-ci reprit le train pour le Midi le soir même.

Par la suite, il assura qu'il avait eu un pressentiment.

IV

Tandis que Jean-François déjeunait avec son frère avenue de la Muette, Gerbier, à Lyon, recevait Félix.

Leur entretien eut lieu dans une agence de théâtre. Le directeur avait prêté un de ses bureaux à Gerbier qui pouvait ainsi faire défiler les personnages les plus variés et de l'aspect le plus étrange sans attirer l'attention.

Les gens qui connaissaient le mieux Gerbier et Félix n'auraient pu découvrir la plus légère altération dans leurs rapports. Mais eux, depuis qu'ils avaient exécuté Paul Dounat, ils ne se sentaient pas tout à fait naturels quand ils se trouvaient seuls. C'est pourquoi ils parlaient un peu plus vite et sur un ton un peu plus tendu qu'ils ne le faisaient auparavant.

— Je vous ai fait venir parce qu'il y a une urgence, dit Gerbier. On a perquisitionné chez notre ami le docteur, dans le secteur sud-ouest. Toute la maison de repos a été fouillée. Par chance, il n'abritait ce jour-là personne de chez nous. Il s'en est tiré, mais l'endroit est brûlé.

— Je vois, je vois, dit Félix.

— Combien de monde en tout avez-vous à embarquer pour Gibraltar ? demanda Gerbier.

— Eh bien les deux officiers canadiens des commandos de Dieppe, vous le savez, et puis trois nouveaux gars de la R.A.F. tombés en parachute et deux Belges, en plus, des condamnés à mort par les Boches.

— Et il y a encore un radio de chez nous qui va faire un stage en Angleterre, et aussi une jeune fille, dit Gerbier. Cela fait huit. Où vont-ils attendre le sous-marin ?

— Nom de Dieu ! dit Félix, la maison du docteur était si commode. Encore un mouchardage de S.O.L. ou d'un homme de main à Doriot. Je les…

Félix serra les poings, mais n'acheva pas. Son regard avait croisé le regard de Gerbier. Et ils s'étaient souvenus de Dounat.

— La question n'est pas là pour l'instant, dit rapidement Gerbier. Où allons-nous les mettre ?

— On ne peut pas les laisser dans la nature par petits paquets ? demanda Félix.

— Non, dit Gerbier. Déjà ils font des bêtises. Le colonel canadien va au café. Il croit qu'il parle français sans accent, et tout le monde sait à quoi s'en tenir. La population du village est sûre, y compris les gendarmes. Mais il suffit d'un bavard.

— Ou d'un ivrogne, dit Félix.

— Et puis le sous-marin revient d'opérations, poursuivit Gerbier. On nous signalera son passage seulement la veille du départ. Il faut que tout le monde soit réuni à proximité.

Félix frotta lentement sa calvitie jusqu'à ce que la tonsure devînt rouge.

— J'ai beau chercher, mais, à part le docteur, nous n'avons personne sur cette côte, dit Félix.

— Alors, il faut une reconnaissance dans la région et trouver une propriété, une auberge, une usine qui reçoive nos gens, dit Gerbier. Avant quarante-huit heures !

— C'est chanceux, dit Félix.

— Je le sais bien, dit Gerbier.

Il pensait aux télégrammes qu'il recevait parfois de Londres et dans lesquels les états-majors lui exprimaient leur étonnement des retards et des imprudences de l'organisation. Et il ajouta avec une certaine âpreté :

— Nous ne sommes pas une compagnie d'assurance tous risques.

— Dans les conditions où l'on travaille, ça serait plutôt le contraire, dit Félix.

— Tout dépend de l'homme que vous choisirez pour cette mission, reprit Gerbier. Pas besoin d'un organisateur ou d'une grande intelligence. Il faut de la résolution, et surtout le coup d'œil juste et rapide, qui reconnaisse les gens à qui l'on peut se fier. C'est une question d'instinct.

— Je vois, je vois, dit Félix... Et j'ai un gars sur mesure. Mon copain du corps franc. Vous ne l'avez jamais vu, mais vous savez de qui je cause. Il a un flair de chien de chasse. Seulement il est à Paris. Il a dû livrer un nouveau poste à Dubois ce matin.

— Et il rentre ? demanda Gerbier.

— Dans trois jours, dit Félix.

— Pourquoi ?

— Il a un frère qu'il n'a pas vu depuis la guerre... Je ne savais pas qu'on aurait besoin de lui si vite, dit Félix.

— Oh ! ces histoires de famille... dit Gerbier entre ses dents.

— C'est pour moi, cette remarque ? demanda Félix.

Sa voix était contenue, mais si agressive que Gerbier s'interdit de répondre. Les yeux de Félix brillaient d'insomnie, les bords de ses paupières étaient rouges et sa figure ronde avait une couleur terreuse.

« Il ne dort pas assez, il a les nerfs malades », pensa Gerbier. « Mais personne chez nous ne dort assez. »

Félix, voyant que Gerbier se taisait, reprit avec la même violence intérieure :

— Si le reproche sur la famille s'adresse à moi, c'est un peu fort.

Dans le premier instant Gerbier ne comprit pas. Puis il se souvint et demanda :

— Comment va le petit garçon ?

— Pas bien, dit Félix. Le docteur lui a trouvé des ganglions au poumon...

— Il faut l'envoyer à la campagne, dit Gerbier.

— Avec quoi ? demanda Félix. Vous pensez bien que tout le temps en route comme je suis ou occupé sur place à mille choses, je n'ai plus une minute pour gagner des sous. On mange tout juste et encore parce que ma femme fait des ménages. Et elle avait sa fierté, ma femme. Alors elle me traite d'incapable, de fainéant. Et qu'est-ce que je peux lui dire ? Et le gosse traîne tout seul dans l'atelier humide.

— Vous ne m'avez jamais parlé de cela, dit Gerbier. Nous avons des fonds…

— Oh ! je vous en prie, Monsieur Gerbier, dit Félix… Est-ce que j'ai une gueule à mendier, par hasard ?

Gerbier rayait distraitement du bout de l'ongle le bois du bureau derrière lequel il était assis. En ce moment Félix le garagiste lui rappelait Roger Legrain, le petit électricien tuberculeux du camp de L… La même dignité… Le même sens de l'honneur… Le silence de Gerbier, maintenant, gênait beaucoup Félix.

— Ce n'est pas pour me plaindre que je vous ai dit tout ça, murmura Félix. Je ne sais pas ce qui m'a pris… Quand vous avez parlé de la famille tout à l'heure, j'ai pensé que vous, eh bien, vous étiez seul, vous ne teniez à personne. C'est une chance dans le travail qu'on fait.

Gerbier continuait à rayer la table du bout de l'ongle. Il ne tenait à personne… c'était vrai. Il avait failli s'attacher à Legrain. Mais Legrain avait refusé l'évasion… C'était une chance…

— Alors que faisons-nous pour cette mission de reconnaissance ? demanda brusquement Gerbier.

— J'irai moi-même, dit Félix.

Gerbier considéra les paupières enflammées de Félix, la teinte malsaine de ses joues.

— Vous avez besoin d'une bonne nuit, dit Gerbier.

— Cc n'est pas la question, dit Félix. Mais j'avais juré à ma femme et au gosse de les conduire au cinéma, demain dimanche.

Félix put cependant tenir cette promesse. Il retrouva Jean-François dans le train rapide Paris-Nice.

V

La ferme était située à mi-chemin entre la grande route nationale et la mer. Les dépendances spacieuses, construites solidement à l'ancienne, couvraient en fer à cheval le corps principal d'habitation, du côté des terres. Vers l'horizon marin s'étendaient, jusqu'au rivage, des labours, des vignes, des bouquets d'arbres. Ces biens étaient clôturés par des murettes. Jean-François, assis le long d'un sentier et sa bicyclette couchée à côté de lui, contemplait la ferme. De tous les refuges possibles qu'il avait notés au cours de la journée, celui-là paraissait, assurément, le mieux approprié. Jean-François sauta en selle.

Dans la cour picoraient des poules et sur les marches du perron un vieux valet de ferme cassait du bois.

— Où est le patron ? lui demanda Jean-François.

Le vieil homme se redressa avec peine, en plusieurs mouvements, essuya du revers de sa manche rapiécée son visage sans expression et couvert de sueur et forma avec sa main une sorte de pavillon autour de son oreille.

— Je ne vous entends pas, dit-il.

— Le patron, cria Jean-François.

La porte s'ouvrit et une femme en robe et fichu noirs parut. Elle était d'âge mur, petite et portait la tête très droite.

— Le patron n'est pas là, le patron est en ville, dit-elle avec l'accent vif de la région.

Jean-François sourit à cette figure mate, régulière et sévère.

— Ça ne fait rien, Madame, dit-il. Le vrai patron, j'en suis sûr, c'est vous.

Jean-François était habillé d'un gros chandail à col roulé, d'une vieille culotte, de bas cyclistes et de vieux souliers de sport. Il n'avait pas de coiffure, ses cheveux blonds emmêlés lui tombaient sur le front. Mais à cause de ses mains, de son comportement et de sa voix, la fermière fut certaine qu'il appartenait à la classe aisée.

— Pour le marché noir, ce n'est pas la peine, dit-elle. Nous n'avons rien de trop à vendre.

— Vous me donnerez bien à boire, dit Jean-François. J'ai la gorge en feu.

La poussière blanchissait les cils et les tempes du jeune homme. L'hiver était très doux dans la région. Les routes étaient très sèches.

— Entrez, dit la femme.

Dans la grande salle, il y avait du feu au creux de la haute cheminée. Le soleil couchant faisait briller le bois poli des vieux meubles rustiques. Dehors on entendait le bruit sec du bois cassé et le caquetage des poules. La fermière posa sur la table une bouteille et un verre.

— De l'eau aurait suffi, dit Jean-François.

— On n'a jamais refusé chez Augustine Viellat du vin à un passant, même en ces temps de misère, dit la femme avec hauteur.

Jean-François but lentement et le plaisir que lui donnait chaque gorgée se voyait sur son visage clair.

— Encore un verre ? demanda Augustine Viellat.

— Volontiers, dit Jean-François. C'est du bon.

— Il est de notre terre, dit la fermière.

Elle regarda Jean-François boire et contint un soupir. Elle n'avait pas de fils, et elle eût aimé avoir un grand garçon comme celui-là, solide, beau et simple.

— Vous avez fait la guerre ? demanda-t-elle.

— D'un bout à l'autre, dit Jean-François, dans les corps francs.

— Les corps francs, reprit Augustine Viellat, c'étaient de bons soldats, on dit.

— On dit, répète Jean-François, en riant.

Il se leva soudain, alluma le poste de radio posé sur un coffre et plaça l'aiguille à l'endroit des émissions de Londres.

— Ce n'est pas l'heure, dit la fermière.

Elle se tenait debout, près de la table. Jean-François vint s'asseoir, à côté de la femme, sur un coin de cette table.

— Il faut que je trouve avant la nuit un endroit où cacher quelques camarades, dit-il.

La fermière ne changea pas de visage mais baissa la voix pour demander :

— Ce sont des prisonniers évadés ?

— Ce sont des Anglais, dit Jean-François.

— Comment des Anglais ? s'écria Augustine Viellat.

La surprise lui avait fait hausser le ton. Et elle regarda avec une inquiétude instinctive à travers la fenêtre. Elle ne vit que le vieux valet sourd.

— Il y en a qui viennent de l'affaire de Dieppe et il y a des aviateurs abattus, dit Jean-François.

— Sainte Vierge... murmura Augustine Viellat. Sainte Vierge... Des soldats anglais jusque chez nous... Je croyais qu'on les trouvait seulement dans nos pays du Nord.

— C'est bien là qu'ils ont commencé par se cacher, dit Jean-François. On les a traités merveilleusement.

— J'espère bien, dit la fermière. Les soldats anglais sont chez eux dans toute bonne maison française.

Augustine Viellat avait croisé son fichu noir sur sa poitrine et le fichu tremblait un peu.

— Alors, si je vous les amène ? demanda Jean-François.

— Je vous dirai merci, reprit la fermière.

— Ce n'est pas sans danger, je vous préviens, dit Jean-François. Il y a encore avec eux...

— Je vous trouve vraiment un peu jeune, mon petit, pour me donner des conseils chez moi, interrompit Augustine Viellat.

— Et pour la sécurité ? demanda Jean-François.

— Mon mari et ma fille sont dans mes idées et le valet était ici du temps de mon beau-père, dit Augustine Viellat avec impatience.

— Nous sommes sept ou huit, dit Jean-François.

— La maison est grande.

— Et pour la nourriture ? demanda Jean-François.

— On n'est encore jamais mort de faim, grâce à Dieu, même par ces temps de malheur, chez Augustine Viellat, dit la fermière.

VI

Ils arrivèrent par petits groupes en deux nuits. Les Canadiens des commandos de Dieppe étaient passés par dix retraites : cabanes de pêcheurs, châteaux de hobereaux, hameaux de montagne, auberges routières. Les deux pilotes de la R.A.F., blessés, avaient été soignés pendant des semaines chez un médecin de campagne. Les francs-tireurs belges avaient travaillé dans une coupe de bois comme bûcherons. Enfin Félix amena un Polonais taciturne à qui les Allemands, avant qu'il ne s'évadât, avaient cassé tous les doigts de la main droite.

Pour coucher ces hommes dans le grenier Augustine Viellat avait dépouillé tous les lits de leur matelas et sorti des armoires les plus beaux draps de la maison. Pour les nourrir elle trouva des jambons crus fumés aux herbes, des confits d'oie, des œufs de la basse-cour, du beurre salé, du miel des collines et des confitures, faites à la ferme avec du sucre pur. Ses hôtes ne surent jamais qu'elle sacrifiait ainsi toutes les réserves amassées pour un hiver de famine et qu'elle leur abandonnait toutes les rations de pain de sa famille. Cette patronne altière et despotique les soignait avec une sollicitude pleine de timidité. Les Anglais et les Canadiens étaient surtout l'objet de sa vénération. Ils lui semblaient des êtres un peu fabuleux. Ils venaient de si loin. Leurs pays continuaient de se battre.

— Taisez-vous donc, leur disait Augustine Viellat, lorsqu'ils la remerciaient de quelque attention. Qu'est-ce qu'on serait devenus sans vous ?

Et eux qui avaient reçu le même accueil à travers toute la France, ils souriaient d'un air gêné.

Jules Viellat qui, pour pied bot, avait été réformé en 1914 et en 1939 se répétait sans cesse : « Et moi aussi, je fais un peu la guerre maintenant. » Il le disait quelquefois, mais seulement à sa fille Madeleine. À sa femme il n'osait point. Madeleine qui avait des yeux noirs et un tcint espagnol comme Augustine, ne savait pas si elle était plus amoureuse du colonel canadien haut, large et affable ou d'un petit pilote à figure d'enfant. Les Belges la faisaient rire par leur accent et leurs histoires un peu vives. Le vieux valet, parce qu'il était né dans un village à la frontière, croyait que ses patrons hébergeaient des contrebandiers. On le laissait croire.

La nuit venue, tout le monde se réunissait pour écouter les émissions anglaises dans la grande salle de la ferme où tout – portes et volets – était soigneusement clos. Augustine Viellat contemplait ces visages étrangers et étranges sur le fond des vieux murs, parmi les vieux meubles qui n'avaient connu que la même famille de paysans modestes, et secouait sa petite tête hautaine avec incrédulité. Et quand elle songeait que ces hommes allaient bientôt partir dans un sous-marin (les pensionnaires de la ferme l'avaient dit – ils se sentaient dans une telle sécurité) il semblait à Augustine qu'elle disait déjà cette histoire aux enfants qu'aurait Madeleine et que les petits l'écoutaient ainsi qu'un conte.

Cela dura environ une semaine. Puis, un soir, Jean-François revint. Il annonça que le départ aurait lieu la nuit suivante. Augustine Viellat croisa son fichu sur sa poitrine pour cacher l'agitation de ses mains. Comme on allait se séparer pour dormir, Augustine retint Jean-François :

— J'aimerais en avoir d'autres, à l'occasion, lui dit-elle presque timidement.

Sa demande n'étonna point Jean-François. Chaque fois que les gens commençaient par hasard de rendre service à la résistance, ils étaient heureux et voulaient continuer.

Était-ce la haine contre l'ennemi ou un sentiment de solidarité, ou le goût de l'aventure qui trouvaient ainsi à se satisfaire ? Jean-François n'était pas d'une nature à s'en préoccuper. Mais il savait que par cet entraînement le pays entier se peuplait de relais précieux et de complicités innombrables.

— Les clients ne manquent pas, dit Jean-François en souriant à Augustine.

Ses yeux bleus se posèrent un instant sur l'appareil de T.S.F. que Jules Viellat écoutait.

— Et puis, dit Jean-François, on pourrait émettre de chez vous.

— Je ne comprends pas bien, dit la fermière.

— On pourrait parler avec Londres, dit Jean-François.

— Sainte Vierge ! s'écria la fermière. Parler avec Londres ! De chez nous ! De chez moi ! Tu entends, Jules ! Tu entends, Madeleine ?

— Attention, dit Jean-François, c'est la peine de mort.

Jean-François entendit les respirations de la famille Viellat dans la grande salle aux solives enfumées.

— Qu'est-ce que tu en penses, Jules ? demanda la fermière.

— Je veux ce que tu veux, dit Jules Viellat.

Augustine écouta le piétinement sourd que faisaient en se couchant dans le grenier les Canadiens, les Belges, les Anglais, le Polonais et dit :

— Alors, je veux.

— J'en parlerai demain à mon chef, dit Jean-François.

Gerbier arriva avant le jour. Il avait avec lui un opérateur de radio, âgé, barbu et une jeune femme à l'air insignifiant.

Jean-François prit Gerbier à part et lui dit :

— Le pêcheur nous attend cette nuit à partir de dix heures. Il a un gros bateau. Il peut emmener tout le monde. Cela évitera plusieurs voyages. La fille de la maison vous mène à l'endroit à travers champs pour éviter les rondes.

— C'est bien conçu, dit Gerbier.

— Je rentre ? demanda Jean-François.

— Non, dit Gerbier.

Il alluma une cigarette et reprit :

— J'ai une mission pour vous. Une mission capitale, mon petit (sa voix était singulièrement douce et pénétrante). Vous conduirez au sous-marin le grand patron. Vous entendez, le grand patron. Il part aussi. Et je ne veux pas qu'il embarque avec toute la bande. C'est risqué. Nous sommes trop nombreux. Vous partirez avec lui – d'un autre endroit – sur un petit canot. Le Bison vous l'amènera. Attendez mon signal quand je serai à bord. Trois points bleus et un trait.

— Compris. Je réponds de tout, dit Jean-François.

Il était enchanté. Il adorait l'aviron.

Augustine Viellat descendit servir le petit déjeuner aux nouveaux visiteurs.

— Comme nous serons très pressés ce soir, Madame, je voudrais savoir tout de suite ce que je vous dois, lui dit Gerbier.

— Oh ! murmura Augustine… Oh ! comment pouvez-vous…

— Mais enfin… huit personnes toute une semaine… par ces temps difficiles, insista Gerbier.

— Et vous, est-ce qu'on vous paye à la journée pour ce que vous faites ? demanda Augustine durement. Non ! Alors je vous apprendrai que tout paysans qu'ils sont, les Viellat sont aussi fiers que vous.

Gerbier pensa à Legrain, pensa à Félix et alla déjeuner dans la cuisine. Quand il eut achevé, il dit à Augustine qui ne lui avait plus accordé un regard :

— Je voudrais que vous me permettiez de vous rapporter quelque chose de Londres quand je reviendrai.

— Vous… vous allez revenir, balbutia Augustine à qui la tête tournait un peu. Ça se fait donc aussi ?

— Quelquefois, dit Gerbier.

— Mais c'est bien plus terrible de recommencer après avoir été en pays libre.

— Je ne sais pas… C'est mon premier voyage, dit Gerbier. Et j'aimerais vous ramener un souvenir.

Augustine reprit profondément sa respiration et chuchota :

— Des armes, donnez-moi des armes. Ça servira à tout le canton, le jour qu'il faudra.

VII

L'obscurité était profonde. Pourtant les arêtes des rochers abrupts qui crénelaient la crique se devinaient sur le fond du ciel de nuit. Une grotte formait le fond de l'entaille étroite et sauvage en forme de flèche dentelée, par où la mer pénétrait dans la côte aux cent détours.

Jean-François était couché sur le sable au fond de la crique et si près de la mer que les vagues les plus longues mouillaient ses pieds nus. Il portait un pantalon de toile relevé jusqu'aux genoux, un vieux chandail de laine et se sentait merveilleusement bien dans ses vêtements légers et lâches. À intervalles réguliers, il fermait les yeux pour mieux entendre ce qui se passait au creux de la nuit et pour mieux voir ensuite. Jean-François avait appris cela au corps franc pendant ses veilles, et il avait appris à déjouer les mirages des ténèbres qui forment des ennemis et de la peur avec rien.

Une risée vint cingler le sable. Jean-François fut content de la sentir s'apaiser. Il ne craignait pas la houle. De tous les exercices où il excellait les jeux nautiques étaient ceux qu'il pratiquait le mieux. Il connaissait sa force. Il connaissait son adresse. Même par mauvais temps il était sûr de mener l'esquif échoué à portée de sa main jusqu'au bâtiment britannique. Mais Jean-François préférait une eau calme pour son passager. Il n'avait peut-être pas le pied marin.

Jean-François ferma les yeux et ne fut plus qu'une sorte d'antenne à l'écoute. Rien ne bougeait autour de lui que le flot. Très loin en haut, sur la route en lacets qui surplombait les entailles de la côte, un moteur bruissait faiblement. Il se pouvait que ce fût la voiture du Bison. Jean-François releva les paupières. Il était étrange de penser que le patron prendrait place bientôt dans la barque et qu'il avait les dimensions et le poids de tout le monde. L'équipe de Félix, ni Félix lui-même ne l'avaient jamais approché. Il était sans nom, sans forme et cependant sur ses ordres on allait à la prison, à la torture, à la mort. Il faisait tomber les armes du ciel, et sortir les munitions de l'onde. Son existence était enveloppée dans une sorte de nuage sacré. Son départ avait tout l'appareil d'un prodige de théâtre. Venu on ne savait d'où il allait s'abîmer dans la mer.

Et voilà que lui Jean-François qui ne pensait jamais aux choses sérieuses, il allait servir de passeur au grand patron, à celui qui prévoyait, organisait et ordonnait tout. Jean-François n'en ressentit aucun orgueil, mais une sorte de gaieté. « Le sommet et la base de la pyramide se rejoignent », pensa Jean-François. « Curieuse mathématique. Il faudra que j'en parle après la guerre à Saint-Luc. » Jean-François se sentit sourire dans la nuit. Pauvre Saint-Luc avec son bonnet de laine, ses rutabagas, sa peur des gendarmes, alors que la vie était si belle, si large, si…

Jean-François se souleva légèrement sur les coudes. Toute pensée était suspendue en lui. Il était certain d'avoir entendu quelqu'un remuer à la pointe des rochers qui, du côté droit, protégeaient la crique. L'homme devait être très habitué au terrain. Il n'avait pas fait plus de bruit qu'un clapotis de l'eau emportant un caillou. Maintenant le silence était entier de nouveau. Le patron allait arriver d'un instant à l'autre. Et d'un instant à l'autre le signal pouvait s'allumer dans la nuit. Ce guetteur inconnu ne devait pas les voir. Jean-François se mit à ramper le long de la plage... Il avait à la main une matraque de caoutchouc. Confondu avec le sable mouillé, Jean-François, léger et glissant comme une couleuvre, traversa rapidement le pourtour de la crique. Il aperçut alors, entre deux blocs de pierre un autre bloc, aussi immobile, mais d'une ombre un peu plus grise. C'était l'homme.

Jean-François assura bien le manche de sa matraque au creux de sa paume. Le coup sur la tête du guetteur ne serait pas mortel, mais devait l'endormir jusqu'à l'aube.

Jean-François avança de quelques centimètres. Il était maintenant à bonne portée et rassembla ses muscles. Mais l'homme disparut brusquement derrière un rocher et Jean-François entendit une voix sourde.

— Pas de bêtise. Je suis armé.

Deux vagues courtes brisèrent l'une sur l'autre contre la pointe. Puis la voix demanda (et Jean-François sentit qu'elle avait l'habitude de l'autorité) :

— Qu'est-ce que vous faites ici à cette heure ?

— Et vous ? répliqua Jean-François tout en s'apprêtant à sauter par-dessus le rocher.

— Je suis le beau-frère d'Augustine Viellat, dit l'interlocuteur invisible.

Jean-François laissa tout son corps se détendre et murmura :

— Notre fermier ?

L'homme sortit de sa cachette.

— Je fais un tour pour voir si tout se passe bien avec l'embarquement.

— Et alors ? demanda Jean-François.

— Ça va, ça va, dit l'homme. La patrouille des gendarmes est passée plus haut. Les Boches ne sont pas encore assez nombreux et ils ne connaissent pas le pays. Ils font confiance à la douane.

— Et la douane ? demanda Jean-François.

— Comment la douane ? dit l'homme. Elle est bien bonne ! la douane… c'est moi. Je suis l'adjudant pour tout le secteur.

— Elle est vraiment bonne, dit Jean-François.

Il remit la matraque dans sa poche.

VIII

Des étincelles d'un feu bleuâtre s'élevèrent au-dessus de l'eau, tremblèrent et disparurent. Jean-François vit le signal et fut debout en même temps. Presque aussitôt, sur le sentier qui menait de la route au fond de la crique, il entendit des pas pesants et maladroits. Le silence était tel que le bruit de chacun de ces pas semblait à Jean-François retentir à travers la France entière. Jean-François serra le manche de sa matraque et enleva le cran de sûreté du revolver qu'il avait dans sa poche. Ses ordres étaient d'assurer le départ à tout prix.

Au bout de quelques instants deux ombres se laissèrent glisser sur le sable.

— Embarquez, murmura l'une d'elles.

Jean-François reconnut la voix du Bison.

Il mit le canot à la mer aussi près qu'il le put du rivage et employa toute sa vigueur à le maintenir immobile.

Malgré cela, le passager monta à bord si gauchement, qu'il manqua de peu de faire chavirer l'embarcation.

« Celui-ci n'a pas été dressé aux corps francs », pensa Jean-François avec impatience. Il rattrapa l'esquif et se trouva aux avirons.

— Bonne chance, patron, chuchota Le Bison.

Seulement alors, Jean-François se rappela qui était le passager si malhabile. Et l'inexpérience que ce dernier avait montrée devant les éléments lui parut infiniment touchante et respectable.

« S'il était comme moi, il ne serait pas le grand patron », se dit Jean-François.

Il ne songea plus à rien qu'à diriger le canot le plus rapidement et le plus silencieusement possible. Le passager était assis à l'arrière de la barque.

Le signal s'alluma encore une fois. La distance à parcourir jusqu'à ces feux était considérable. Mais les bras de Jean-François allaient et venaient comme des bielles huilées. Enfin, une vague forme se dessina au ras de l'horizon, tout proche. Jean-François donna un souple coup de rame. Le canot vint se ranger contre la coque d'un sous-marin à peine émergé.

Quelqu'un à bord se pencha. Le faisceau lumineux d'une forte torche éclaira un instant le canot tout entier. Pour la première fois les deux hommes qui l'occupaient virent leurs figures arrachées à la nuit. Celui qui se levait avec difficulté de la banquette dit d'une voix assourdie :

— Mon Dieu… le petit Jean… est-ce possible ?

Et Jean-François reconnut son frère aîné.

— Le patron, balbutia-t-il. Écoute… comment…

La torche s'éteignit. La nuit fut plus noire qu'auparavant, impénétrable. Jean-François fit un pas d'aveugle. Comme il touchait son frère, celui-ci fut enlevé par des bras invisibles. Le sous-marin s'éloigna, plongea.

Par réflexe, Jean-François lança son canot dans le sillage qui emportait son frère. Soudain, sans force, il abandonna les avirons. La barque s'en fut lentement à la dérive... Jean-François ne sut pas combien de temps il lui fallut pour comprendre et croire ce qui s'était passé. Puis il murmura :

— Sacré Saint-Luc... Quelle famille...

Puis il se mit à rire et fit route en chantant vers le rivage sur la mer obscure.

4

CES GENS-LÀ SONT MERVEILLEUX

On dînait aux bougies. Elles étaient hautes, minces et couleur de rose thé. La vieille dame, quand elle recevait, ne tolérait pas un autre éclairage. Avec son amitié, elle ressemblait encore un peu aux portraits d'elle répandus à travers les salons et qui avaient été peints sous le règne du roi Édouard VII. La maison donnait sur Belgrave Square. Les bombes avaient ruiné beaucoup d'hôtels aux alentours, mais la vieille dame n'avait jamais consenti à quitter le sien. Les domestiques étant d'un âge qui les dispensait des devoirs militaires, elle avait conservé son train de maison et ses habitudes. L'une de celles-ci, prise au temps de l'Entente cordiale, lui faisait souvent réunir les Français éminents de Londres. Ils pouvaient, sans prévenir, et à la dernière minute, amener des passants. Mon voisin était de ceux-là.

Il arrivait de France. Il ne connaissait personne à cette table, sauf l'ami qui l'avait présenté et qui se trouvait placé loin de lui. La conversation était nourrie et brillante mais attachée à des faits ou à des personnages dont il ignorait tout. Il entendait les mots et non pas le langage. Il était visiblement dépaysé comme un voyageur qui aborde à une rive sans réalité et ne reconnaît plus les lois et les lignes de la vie.

Cela n'était pas pour me surprendre. J'étais dans la même situation que mon voisin. Notre condition et notre solitude communes m'attiraient naturellement vers lui. En outre, des cheveux bouclés et grisonnants, un front haut, solide, une simplicité et une douceur singulières dans le dessin des traits donnaient beaucoup d'agrément à son visage. Il avait des yeux très clairs, un peu fatigués, et ces yeux se portaient tour à tour sur les fleurs, la décoration des murs, les vieux serviteurs, les candélabres avec une application en même temps studieuse et enchantée. On sentait chez mon voisin la présence constante d'une forte méditation mais aussi un penchant à la chimère et une candeur profonde. Son caractère et ses occupations l'avaient tenu sans doute en dehors des soucis ordinaires de l'existence. Un professeur… Un savant de laboratoire… peut-être un botaniste.

— Tout est surprenant autour de nous, n'est-ce pas ? demandai-je à mon voisin.

— Plus que surprenant, dit-il avec chaleur. On tombe en plein miracle.

Il avait une voix un peu faible mais dont le pouvoir de persuasion était grand.

— La vie devient si facile tout d'un coup, dit mon voisin.

Ces mots réveillèrent un malaise dont je sentais souvent à Londres le poids.

— Trop facile, dis-je.

Mon voisin me regarda avec sympathie (je m'aperçus par la suite qu'il ne savait pas regarder autrement) et j'eus le sentiment que la fraîcheur de son commerce avec l'existence n'avait point tant la naïveté pour source que la bonté.

— Vous pensez aux conditions où l'on vit chez nous, dit-il, et vous êtes gêné ici par les monceaux de pain blanc... et le bain chaud tous les matins avec le savon qui mousse sur le corps.

Il ferma à demi ses yeux pensifs et limpides.

— Je suis sans doute immoral, dit-il, mais, sincèrement, je n'arrive pas à me donner des remords. J'accepte les choses comme elles me viennent.

Mon voisin était de ces hommes assez rares dont la présence incite à penser tout haut. Je remarquai :

— Vous ne deviez pas sortir souvent de votre tour d'ivoire ?

— C'est dire que je suis un rat de bibliothèque, demanda mon voisin en riant.

Je n'oublierai pas son rire. On l'entendait à peine, mais il avait un son si tendre, si pur et si convaincu, il éclairait d'une telle lumière d'enfance le visage d'un homme fait, qu'on se prenait d'admiration et d'envie pour celui qui, à son âge, pouvait rire de la sorte. On eût dit qu'il apprenait soudain ce que l'univers offrait d'amusant et qu'il riait de s'entendre rire. C'était d'un charme extraordinaire.

— Qu'est-ce qui vous a fait deviner ? La forme des épaules ? Les cheveux ? demanda mon voisin.

Il tirailla d'un air embarrassé les mèches touffues et blanches qui bouclaient sur ses tempes et dit :

— Ils sont trop longs, je lc sais bien. Mais je ne me décide pas à entrer chez un coiffeur anglais. Je suis tellement habitué aux nôtres. Ce sont des gens merveilleux.

Une exaltation si soudaine de sa part et appliquée à un pareil sujet me parut quelque peu absurde. Je dus laisser voir mes sentiments car mon voisin se mit à rire de nouveau. Et comme il n'avait pas cessé de fourrager dans ses cheveux grisonnants, son rire si jeune avait encore plus de séduction.

— Je ne pensais pas au tour de main, dit-il, non, vraiment pas…

Il secoua la tête et poursuivit :

— À Paris, j'ai mes habitudes dans un salon de coiffure de la rive gauche. C'est une entreprise modeste. Le patron y travaille lui-même avec deux employés. Sa femme tient la caisse. Ils ont un petit garçon et une petite fille qui, en sortant de l'école, viennent faire leurs devoirs dans l'arrière-boutique. Une famille sans histoire. Or un matin, comme j'entrais chez mon coiffeur, celui-ci abandonne brusquement le client qu'il était en train d'accommoder, se précipite vers un autre qui attendait son tour, lui arrache des mains une feuille imprimée et court à moi en criant : « Regardez, regardez ce qui m'arrive, Monsieur. Voilà ce que j'ai trouvé dans mon courrier. » Il tenait un exemplaire de journal clandestin. « C'est formidable les articles qu'il y a dedans, dit le patron. Contre les Boches, contre les collaborateurs, avec les noms, les détails et tout. Il faut du courage pour imprimer des choses pareilles. Pas vrai, Messicurs ? »

« Et tout le monde, qui le visage enduit de savon, qui sous les ciseaux ou la tondeuse, tout le monde approuva. Le journal clandestin avait fait le tour de la boutique. « Pensez qu'on me l'a envoyé à moi. À moi ! » disait le patron. Il rayonnait d'orgueil. « C'est vraiment un grand honneur qu'on nous fait », dit doucement sa femme au comptoir. « Lisez vite, me souffla le patron. J'attends beaucoup de monde ce matin, il faut que chacun ait sa part. » Pour un peu, il aurait affiché le numéro à sa vitrine. »

— C'était avant ou après que la diffusion des journaux de résistance fût punie de mort ? demandai-je.

— Après, bien après, dit mon voisin.

Il rit. Son visage exprimait l'admiration la plus étonnée, la plus tendre. On eût dit que cette histoire était toute neuve pour lui. On eût dit que je venais de la lui faire connaître.

— Les coiffeurs sont des gens merveilleux, assura-t-il.

Cependant le dîner touchait à sa fin. Le maître d'hôtel servait de la crème au chocolat. Elle était abondante et légère, suave au goût comme à la vue. Il fallait venir de France pour concevoir tout le prix de cette chose incroyable.

— Ah… dit mon voisin.

Il cessa de parler pour s'abandonner à sa gourmandise en toute innocence. Puis il murmura :

— Ce dîner est une féerie.

Son regard sérieux et chimérique glissa lentement le long de la table au bout de laquelle nous étions assis. Et, suivant ce regard, je repris conscience de la beauté des fleurs, des couverts, des cristaux et du charme des lumières. Le récit de cet homme m'avait fait oublier tout cela. Mais lui, il semblait posséder le privilège de pouvoir goûter sans mélange aux grâces d'un logis heureux, et, tout ensemble, d'avoir présents à l'esprit les tourments et les efforts secrets d'un peuple livré à une cohorte d'espions, de geôliers et de bourreaux.

— Une vraie féerie, dit mon voisin. Nous devons beaucoup à cette vieille dame, qui ne nous connaît même pas.

La maîtresse de maison se tenait très droite au milieu de la table. Sa tête, petite et fine, émergeait d'une collerette d'organdi noir. Cette couleur et cette matière donnaient plus d'éclat à la brillante blancheur de ses cheveux. Les yeux étaient encore d'une vivacité extrême. Nous étions placés trop loin pour bien entendre ses propos, mais les inflexions des lèvres étaient pleines d'intelligence, de volonté et d'esprit.

— Les femmes sont des êtres merveilleux, dit mon voisin.

Et comme si je m'étais, cette fois encore, mépris sur le sens de son ardeur, il ajouta d'un air mi-plaisant, mi-coupable :

— Vous savez, c'est en dehors de toute crème au chocolat… Il me souvient d'une personne qui s'appelait Mathilde et qui avait pour mari un clerc d'huissier. Je ne l'ai pas connue, mais j'ai souvent entendu parler d'elle par une étudiante de mes amies.

(« C'est sûrement un professeur », pensai-je.)

« La distraction préférée de cette étudiante, quand elle voyageait en métro, était de mettre des tracts contre l'Allemagne dans les poches des officiers et des soldats allemands. Elle habitait sur le même palier que Mathilde, dans un immeuble caserne à loyers modérés, construit par la Ville de Paris pour la toute petite bourgeoisie. Mais tandis que l'étudiante occupait une garçonnière avec insouciance et une parfaite liberté sexuelle, le clerc d'huissier, sa femme et leurs sept enfants étouffaient dans un logement de trois pièces. Mathilde était jaune, sèche, exténuée par ses obligations domestiques et, peut-être à cause de cela, d'une vertu très agressive. De plus mon amie était anarchisante et Mathilde, à l'exemple de son mari, fanatique de l'*Action Française*. Bref, elles se haïssaient comme seules deux femmes savent le faire.

« Un jour, et uniquement par moquerie, l'étudiante glissa un tract dans le manteau de Mathilde. Mais l'épouse du clerc d'huissier avait l'œil plus vigilant que les soldats d'occupation. Vous comprenez, elle passait sa vie à veiller sur ses enfants, sur son gaz et à ce qu'on ne la volât point. Elle saisit le poignet de l'étudiante et lut le feuillet.

« Enfin, je tiens quelqu'un parmi eux, merci, mon Dieu ! » dit Mathilde.

« La scène se passait dans l'escalier de la maison. « Montons chez vous », ordonna Mathilde. Mon amie voulait à tout prix éviter un incident public. Elle obéit.

« Dans la garçonnière le lit était défait. Des boîtes de maquillage, des ustensiles de toilette très personnels, des bouteilles vides traînaient. Mathilde eut un mouvement de recul. Elle murmura : « Jamais je n'aurais cru… » Mais le dégoût qui allongeait sa longue figure fit place tout à coup à une expression de prière. Elle emprisonna les mains de la jeune fille dans ses deux fortes mains de ménagère et dit : « Mademoiselle, il faut que vous m'aidiez. » « Vous aider ? » répéta l'étudiante sans comprendre. « Contre les Boches » dit Mathilde. Et brusquement cette femme taciturne et rigide à l'extrême, cette femme qui semblait aussi desséchée dans ses sentiments que dans ses traits et son corps, cette femme fut prise d'un véritable accès de passion. Elle raconta la faim de ses enfants, les queues inutiles, la torture des hivers sans charbon, la congestion pulmonaire de son mari, la chasse aux vêtements, aux souliers introuvables. Aucune de ses paroles n'avait le ton de la plainte. Elles exprimaient une révolte enragée contre les Allemands. Le seul désespoir de Mathilde était de rester inactive. Mais que faire ? Elle ne connaissait personne dans les milieux de la résistance. Son mari (un pauvre homme, elle s'en était aperçue) croyait encore au maréchal. « Je veux travailler à la perte des Boches, termina Mathilde. Rien ne me sera difficile, ou pénible, ou dangereux. Je veux aider à faire crever les Boches. » Pas une fois, au cours de cette crise, Mathilde n'avait élevé la voix. Mais la violence des propos, le frémissement des minces lèvres et des joues cireuses, l'éclat presque insoutenable d'un regard à l'ordinaire prudent et éteint agirent davantage sur mon amie, que ne l'eussent fait des cris. « Vous travaillerez dans mon circuit à diffuser nos imprimés, dit-elle. Vous ne saurez rien d'autre et vous ne prendrez les ordres que de moi. » Je pense qu'entendant le nom du journal et regardant une dernière fois le désordre indécent de la chambre, Mathilde dut livrer une lutte obscure contre sa conscience. Mais elle accepta. On lui confia d'abord un bout de rue, puis la rue entière, puis tout un arrondissement. C'était un travail immense qu'elle accomplissait avec une méthode et un soin du détail sans bavure. Elle ne discutait pas. Elle avait toujours le temps, pour tout. Elle n'était jamais lasse. Elle allait aux queues plus tôt. Elle reprisait les vêtements et le linge plus tard. Cela ne regardait personne. Son mari ne savait rien.

« Parfois, quand elle entrait de bonne heure chez sa voisine de palier, pour recevoir des instructions, elle trouvait un passant dans le lit de l'étudiante. « Un camarade de combat », disait celle-ci. Mathilde souriait d'un sourire sans expression, écoutait les ordres et s'en allait. Elle avait encore maigri mais elle ne portait plus sur son visage d'hostilité contre l'existence. Elle était surtout heureuse lorsqu'il fallait ajouter des explosifs aux liasses épaisses de feuilles imprimées. Et savez-vous comment elle s'y prenait pour leur faire traverser Paris ? Elle mettait les journaux et à l'occasion les cartouches de dynamite au fond de la petite voiture qui servait à son dernier-né, un bébé de dix-huit mois. Deux de ses fillettes un peu plus grandes l'accompagnaient. Elles étaient enveloppées d'exemplaires de presse clandestine sous leurs pèlerines. Qui eût soupçonné cette femme à figure creuse, sérieuse, faisant prendre l'air à des enfants sous-alimentés ? »

Tout le monde avait quitté la table du dîner et gagné un grand salon. Nous aussi. Mais je n'en avais pas eu la notion tant mon voisin avait su me conduire sur les pas de cette silhouette desséchée aux vêtements ternes et reprisés avec soin, qui poussait du matin au soir et quelque temps qu'il fît, à travers Paris affamé et tragique, un bébé exsangue sur une couche de journaux interdits et d'explosifs.

— Mathilde cependant a fini par se faire prendre sur une indiscrétion qui ne venait pas d'elle, dit mon voisin. Rien n'a pu la faire parler. Quand j'ai quitté la France, la police n'avait pas encore décidé de son sort.

Des valets à favoris blancs passaient du café, des alcools, des cigarettes et des cigares. Et mon voisin remarqua :

— Je ne fume pas, mais j'aime qu'on fume autour de moi le tabac de Virginie ou le tabac de La Havane. Surtout ici. Vous sentez combien cette odeur convient à l'endroit ?

Mon voisin avait le pouvoir de me faire basculer sans cesse d'un univers à un autre. Mais tandis que son esprit équilibrait, accordait sans peine des visions dramatiquement et presque monstrueusement contrastées, je considérai avec une sorte d'effroi métaphysique, cette pièce riche et chaude, cette abondance, cette sécurité.

J'étais encore si près de la souffrance et de la lutte françaises, et tellement marqué par leur climat, que la vie famélique, opprimée, menacée et souterraine me semblait la plus naturelle à l'homme en ce temps. Il est probable que me mêlant au groupe formé autour de notre hôtesse, et aidé par la faculté qui sommeille chez la plupart des êtres, j'aurais pu oublier, plaisanter et fumer mon cigare et boire mon whisky dans la paix du cœur. Cela m'était déjà arrivé à Londres. Si j'en étais empêché, c'était par mon compagnon. Pourtant je ne songeais pas à le quitter.

— Il y a rue de Lille une réplique française parfaite à la maîtresse de maison, dit-il. Ses salons sont un peu glacés, les repas maigres, et on y coupe les cigarettes en quatre comme partout. Mais pour la verdeur, le culte des traditions, l'esprit et le tempérament despotique, ma comtesse douairière ne le cède en rien à cette charmante vieille lady.

— Vous êtes un habitué du faubourg Saint-Germain ? ne pus-je m'empêcher de demander.

— La comtesse a un Steinway d'un son admirable, répliqua mon voisin en riant. J'allais quelquefois faire de la musique chez elle.

Je regardais mon voisin avec une attention nouvelle. Pourquoi avais-je décidé qu'il était homme de laboratoire ? Ses cheveux bouclés, son front robuste, ses yeux graves et ingénus, et la qualité de son rire ? Mais tous ces traits pouvaient aussi bien, sinon mieux encore, s'appliquer à un artiste.

Quelqu'un mit un disque de jazz sur le phonographe, dissimulé dans un coin de la pièce immense.

— Ces airs ont au moins ceci d'agréable qu'ils n'empêchent pas la conversation, dit mon voisin. On faisait de la musique – de la vraie – faubourg Saint-Germain, mais aussi on conspirait. La vieille comtesse avait mis en jeu toutes les relations dont elle disposait, toutes les influences, tous les soupirants qu'elle avait eus au cours d'une vie sentimentale fort longue et qui passait pour bien remplie. Il y avait beaucoup de hauts fonctionnaires parmi ces amis d'un autre âge. Elle les terrorisait, leur faisait renier le maréchal, les forçait à la complicité. Le secrétaire où ses aïeules ont caché des billets écrits par Lauzun et par le duc de Richelieu était bourré de faux papiers d'identité, d'ordres de mission truqués, de sauf-conduits en blanc, de lettres de recommandation pour les juges, les commissaires de police, les directeurs de prison. La comtesse est d'une imprudence insensée. Mais son despotisme un peu comique la sauve. « C'est une vieille folle », dit-on, et on la laisse faire…

Un autre disque… Un autre air de jazz. Mon voisin continua :

— La comtesse a un petit-neveu d'une trentaine d'années, à poitrine étroite et creuse, presque chauve, boutonneux, et qui gratte sans arrêt ses boutons, avec des doigts minces, minces comme des filaments. Études médiocres, réformé, pas de profession, petites rentes. Le portrait même du fils de famille manqué, incapable. Il est entré dans la résistance parce qu'il avait toujours fait les commissions de sa grand-tante. Un type merveilleux.

Cette fois je m'écriai :

— On se demande pourquoi ?

— Parce que, dit mon voisin, parce que ce garçon est devenu le meilleur des agents de liaison. Malgré sa santé lamentable, il a passé des semaines en chemin de fer, sans dormir et presque sans manger. Il a forcé les barrages, éventé les souricières. Il est allé dix fois à une mort probable, en continuant de gratter ses boutons de ses doigts filiformes. Il a été pris et passablement maltraité. On n'a pu lui arracher un mot. La vieille comtesse l'a délivré. Quand il est revenu chez elle en sortant de prison, il se traînait avec peine. Ses boutons étaient devenus des plaies. Ce fut la seule fois où il parla de ses sentiments. « Je pense que personne ne pourra plus me reprocher de m'être embusqué pendant la guerre », a-t-il dit.

Cette clarté sur toute une vie me surprit au point que je ne sus retenir une exclamation. Mon voisin se mit à rire.

— N'est-ce pas que c'est une cure étonnante pour complexe d'infériorité ? me demanda-t-il.

Je dis :

— Vous connaissez vraiment beaucoup de gens et beaucoup de leurs secrets.

— J'exerce un métier qui appelle les confidences, dit mon voisin.

Son rire était encore plus silencieux qu'à l'ordinaire. Je regardai de nouveau cet homme et je songeai : « En réalité ne serait-il pas un neurologue, un psychiatre ? »

Mais tandis que j'interrogeais son visage, il se détourna soudain et devint comme inaccessible. On avait mis un autre disque sur le plateau du phonographe et c'était un oratorio de Bach. Il y avait là un souverain pouvoir d'apaisement. Je me trouvai enfin à l'aise dans le salon de Belgrave Square, parmi les lambris somptueux et les lances tremblantes des bougies qui se multipliaient magiqucment dans les miroirs. Et je pus ouvrir cette pièce et son luxe et sa tranquillité à ce petit coiffeur, à ces étudiants, à cette Mathilde, à ce fils de famille disgracié. Et je les aimais encore davantage d'être parmi nous, traqués, mal vêtus, sous-nourris, transis et ternes avec le mystère humble et sacré de leur courage.

Le grand mouvement des orgues s'était écoulé. Petit à petit les conversations reprirent.

— La dernière fois que j'ai joué cet oratorio, Thomas l'écoutait, dit mon voisin. Je n'ai jamais eu un ami comme lui et je n'ai pas rencontré un homme de plus pur savoir, ni de plus haut esprit.

Mon voisin parlait sur le ton qui lui était habituel, c'est-à-dire fluide et paisible. Je compris cependant que son ami était mort d'une fin tragique. Il devina que j'avais compris.

— Oui, reprit-il avec douceur, Thomas a été abattu, d'une balle dans la nuque, au fond des caves de l'hôtel Majestic. Il se trouvait pourtant en province quand le petit groupe de savants qui avec lui envoyaient des renseignements à Londres, fut découvert et arrêté. Il pouvait se cacher. Mais il lui parut impossible de ne point partager le sort de ses compagnons. Il est revenu à Paris, il a revendiqué la part la plus lourde et il a obtenu d'être exécuté le dernier après avoir vu tomber ses amis.

J'attendis tout naturellement que mon voisin ajoutât à ce récit le mot « merveilleux » qui lui était familier comme un tic. Mais ce mot ne vint pas. Sans doute, pour mon voisin, à un certain degré d'élévation spirituelle, il n'y avait plus rien qui fût étonnant.

Je continuais à me taire et mon voisin se mit à rire. Je ne sais comment faire sentir cela, mais il était impossible de mieux honorer un ami mort que par ce rire.

Et mon voisin s'en alla, le dos un peu rond, et rattrapant de la main ses boucles grises.

Philippe Gerbier, qui est un vieux camarade, s'approcha de moi.

— Savez-vous le nom de l'homme qui sort du salon ? lui demandai-je.

— Saint-Luc, si vous voulez, dit Gerbier avec son demi-sourire.

— Vous le connaissez bien ?

— Oui, dit Gerbier.

Il alluma une nouvelle cigarette à celle qu'il achevait de fumer et ajouta :

— Il sera en France dans quelques jours, à la prochaine lune.

Je pris congé très vite.

Dans les rues, des soldats serraient de près des filles en uniformes. Des voix joyeuses hélaient des taxis.

La prochaine lune ? La prochaine lune, pensai-je en regardant le ciel découpé par les faisceaux des projecteurs. La prochaine lune…

Je me rappelais la joie de cet homme dont je ne savais ni le vrai nom ni le vrai métier, devant la crème au chocolat, à l'odeur de tabac de Virginie… Et son visage quand il écoutait l'oratorio de Bach.

Reverrais-je un jour ce voisin aux yeux d'enfant et de sage, au rire sans poids, ce voisin… merveilleux ?

5

NOTES DE PHILIPPE GERBIER

Rentré hier d'Angleterre. Au moment de plonger de l'avion dans la nuit noire, je me suis souvenu de J. Il avait fait un saut malheureux et s'était cassé les deux jambes. Il a enterré tout de même son parachute et s'est traîné pendant cinq à six kilomètres jusqu'à la première ferme où il a été recueilli. Chez moi, arrêt du cœur assez aigu quand le pilote m'a fait signe. Peur pour rien. Pas de vent. Tombé en terrain labouré. Enterré parachute. Connaissant la région, trouvé sans difficulté la petite gare d'intérêt local.

Des paysans, des artisans, des cheminots attendaient le premier train. D'abord conversation habituelle : nourriture, nourriture, nourriture. Marchés plus rares, réquisitions devenues intolérables, pas de chauffage. Mais aussi du nouveau : les déportations. Pas une famille, disaient-ils, qui ne fût touchée ou sur le point de l'être. Ils envisageaient les moyens de soustraire leurs fils, leurs neveux, leurs cousins, à ce départ. Atmosphère de bagne. Révolte d'enchaînés. Haine organique. Ils ont discuté également les nouvelles de la guerre. Ceux qui avaient un appareil de radio donnaient aux autres le détail des émissions de Londres. J'ai pensé que j'avais parlé à la B.B.C. pour les ingénieurs français deux jours auparavant.

Quitté le train à la petite ville de C. Je ne voulais pas rejoindre directement notre Q.G. de la zone sud. Les derniers télégrammes envoyés à Londres étaient inquiétants. Me suis rendu chez un architecte de nos amis. Il m'a reçu comme on reçoit un fantôme. « Tu viens d'Angleterre, tu viens d'Angleterre », disait-il sans arrêt. Il avait reconnu ma voix à la radio. Je ne savais pas qu'elle était si caractéristique. J'ai fait là une imprudence assez stupide et assez grave. Les indiscrétions n'ont pas tant la malveillance, le penchant aux bavardages ou même la bêtise pour source que l'admiration. Nos gens sont pour la plupart exaltés. Ils aiment à grandir, à sublimer les camarades et surtout les chefs. Cela les soutient, les enflamme, et donne de la poésie à leur monotone petit travail de chaque jour. « Tu sais, X… a fait quelque chose de magnifique », dit l'un, renseigné, à un autre. Et celui-ci a besoin de partager son enthousiasme avec un troisième. Ainsi de suite. Et l'histoire arrive aux oreilles d'un mouchard. Il n'y a rien de si redoutable que cette générosité des sentiments.

Or, parce que j'ai été à Londres, je risque de devenir un objet de culte. Je l'ai vu à la façon dont m'a traité l'architecte. C'est un homme de caractère et d'esprit pondérés. Il me regardait pourtant comme si j'étais un être un peu miraculeux. Que je sois revenu ne l'étonnait pas trop. Mais le fait que j'ai passé quelques semaines à Londres, que j'ai respiré l'air de Londres, que j'ai fréquenté les gens de Londres, le bouleversait. Il considérait ces vacances, ces jours de confort et de sécurité, comme un acte du mérite le plus rare. L'explication d'une attitude, en apparence aussi absurde, est assez simple. Quand tout semblait perdu, l'Angleterre a été le seul foyer d'espérance et de chaleur. C'était pour des millions d'Européens dans la nuit, le feu de la foi. Et tous ceux qui ont approché et approchent encore ce feu y prennent un reflet merveilleux. Chez les musulmans, le pèlerin qui s'est rendu à La Mecque porte le titre de Hadj, et un turban vert. Je suis un Hadj. J'ai droit au turban vert de l'Europe asservie. Cela me paraît assez risible, parce que je n'ai pas le moindre sens du religieux. Mais aussi parce que, moi, je reviens de Londres. Là-bas, le point de vue est entièrement renversé.

Là-bas, c'est vivre en France qui paraît admirable La faim, le froid, les privations, les persécutions dont nous avons pris l'habitude par force, touchent là-bas l'imagination et la sensibilité à un point extrême. Quant aux gens de la résistance, ils suscitent une émotion presque mystique. On sent déjà se former la légende. Si je disais cela ici, je ferais hausser les épaules. Jamais une femme qui rechigne des heures entières dans les queues, pleure d'impuissance en voyant ses enfants s'anémier, maudit le gouvernement et l'ennemi qui lui enlèvent son mari pour l'envoyer en Allemagne, fait des bassesses auprès du crémier et du boucher pour avoir une goutte de lait ou un gramme de viande, jamais cette femme ne croira qu'elle est un être exceptionnel. Et jamais le garçon qui, chaque semaine, transporte une vieille valise pleine de nos journaux clandestins, l'opérateur qui pianote nos messages de radio, la jeune fille qui tape mes rapports, le curé qui soigne nos blessés, et surtout Félix, et surtout Le Bison, jamais ces gens ne croiront qu'ils sont des héros, et je ne le crois pas davantage.

Les opinions subjectives et les sentiments n'ont aucune valeur. La vérité est seulement dans les faits. Je veux, quand j'en aurai le loisir, tenir note quelque temps des faits que peut connaître un homme placé par les événements à un bon poste d'écoute de la résistance. Plus tard, avec le recul, ces détails accumulés feront une somme et me permettront de former un jugement.

Si je survis.

-:-

Passé la nuit chez l'architecte. Reçu la visite de notre chef de secteur. Cheminot. Ancien secrétaire de syndicat. Très rouge. Organisateur excellent. Caractère à toute épreuve. Si tous les corps de la nation étaient unis et résolus autant que le sont les cheminots, nos groupements n'auraient pas grand mal à travailler.

Cet homme m'a confirmé dans la mauvaise impression que donnaient les télégrammes. Perquisitions, rafles, souricières. La Gestapo veut décapiter la résistance. Elle frappe dix fois à côté, mais elle finit par toucher juste. Nos P.C. découverts à Lyon, à Marseille, à Toulouse, en Savoie. Trois postes émetteurs pris. On ne sait pas encore ce qui se passe en zone nord, mais pour le sud, c'est grave. Mon adjoint, un petit fonctionnaire de l'Enregistrement, bilieux et infatigable, a été exécuté sommairement. Ma secrétaire déportée en Pologne. Félix arrêté.

Lemasque a été, paraît-il, fort bien. Il a établi un P.C. de secours à son bureau. Peu à peu, à mesure que les autres tombaient, ce P.C. a pris de l'importance. Lemasque a remplacé, doublé avec des camarades nouveaux, les hommes disparus. Il s'est montré rapide, énergique, efficace. Mais j'ai peur de ses nerfs. Je suis rentré à temps.

Les cheminots conseillent de ne pas m'attarder chez l'architecte. Trop connu comme gaulliste. La ville est petite.

-:-

Mon hôte maintenant est le baron de V... Et mon logement un beau château Louis XIII. La propriété comprend un parc, un bois, un étang, des terres étendues et riches. On ne peut imaginer un refuge plus sûr et plus agréable. Je vais pouvoir rétablir les liaisons et former des plans avec tranquillité. Le baron se met entièrement à mon service. C'est un personnage. Un long nez, le teint brûlé par le soleil et le vent, des yeux petits et durs, il tient à la fois du loup et du renard. Il n'aime que ses terres et la chasse. Ancien officier de cavalerie, bien entendu. Sa femme et ses enfants vivent dans la terreur. Le seul être qui lui en impose est sa sœur aînée, vieille fille qui ne quitte jamais sa culotte de cheval. Le baron de V… était un ennemi juré de la République. Il avait composé avant la guerre, avec ses métayers, ses valets de chiens et ses piqueurs, un peloton armé de fusils de chasse et de revolvers, qui était destiné à enlever d'assaut, à cheval, la préfecture voisine, en cas d'insurrection royaliste. Ce peloton, parfaitement organisé, parfaitement entraîné, existe toujours. Mais il agira contre les Allemands. Les armes ne manquent pas. On fait de nombreux parachutages sur les terres du baron. Il n'appartient à aucune organisation de résistance. Mais il les aide toutes. Quand sa femme et ses enfants sont couchés, il part avec sa sœur, à cheval tous les deux, faire la réception des parachutes.

C'est à ce féodal que m'a confié notre chef de secteur, secrétaire de syndicat. J'ai plaisanté le baron de V… sur sa complicité avec un révolutionnaire. Il m'a dit : « Je préfère, Monsieur, une France rouge à une France qui rougisse. »

-:-

Nouvelles de Félix par Jean-François.

Félix a été arrêté dans la rue par deux hommes parlant parfaitement le français, mais agents de la Gestapo. On l'a interrogé sans trop de coups. Comme il ne voulait pas avouer son identité, trois hommes de la Gestapo l'ont mené chez lui, en pleine nuit. Sa femme et son petit garçon qui ne savent rien de l'activité secrète de Félix, n'ont pas fait de difficultés, terrifiés qu'ils étaient, pour le reconnaître. Les agents allemands ont frappé Félix devant sa femme et son fils, jusqu'à ce qu'il s'évanouît. Puis, ils ont commencé à perquisitionner en brisant tout dans la chambre. Félix est revenu à lui, a ébauché un mouvement pour se lever. Il a été assommé de nouveau. La perquisition a continué. Félix est revenu à lui. Cette fois, il n'a pas bougé. Il a eu le sang-froid de bien récupérer, comme le dit Jean-François, et soudain il s'est rué sur la fenêtre, a défoncé les volets, sauté dans la rue. Sa chambre était au premier étage. Il s'est démis une cheville, mais a couru tout de même. Une patrouille d'agents cyclistes français passait. Félix a dit la vérité au brigadier. Ils l'ont conduit chez l'un des nôtres. Le lendemain, Félix était dans une clinique à nous. Le jour suivant, dans une autre, et le jour suivant, dans une autre encore. C'est là seulement que la Gestapo a perdu sa trace. Félix a un plâtre léger. Il sortira bientôt. Il me demande un nouveau travail. Il ne pourra plus revoir sa femme et son petit garçon jusqu'à la fin de la guerre. Il pense que sa femme lui en veut beaucoup.

-:-

Un instituteur de Lyon a profité de son dimanche pour passer deux nuits en chemin de fer et m'apporter le courrier. Il dort en ce moment avant de reprendre le train. Il est tellement sous-alimenté, qu'il lui arrive souvent d'oublier en classe les rudiments qu'il enseigne. Quant aux enfants, il n'ose plus les envoyer au tableau noir. Leurs jambes ne les portent plus. Ils tombent de faim.

-:-

Un curé de campagne est venu dire la messe au château. Il use ses journées et ses nuits à courir les fermes : « Toi, dit-il à un paysan, tu as de la place pour cacher trois hommes qui ne veulent pas aller en Allemagne. » « Toi, dit-il à un autre, tu dois en nourrir deux », et ainsi de suite. Il connaît les ressources de chacun. Il a beaucoup d'influence. On lui obéit. Il a été signalé aux Allemands et averti par les autorités françaises. « Il faut que je me dépêche, dit-il. Avant d'aller en prison, je voudrais en placer trois cents. » C'est maintenant une sorte de sport. La course contre la montre.

-:-

Le nombre des réfractaires au travail en Allemagne était de quelques milliers quand je suis parti. Ils se comptent aujourd'hui par dizaines de milliers. Beaucoup sont absorbés dans les campagnes. Mais beaucoup se sont réfugiés dans les réduits naturels et tiennent le maquis. Maquis de Savoie. Maquis des Cévennes. Maquis du Massif central. Maquis des Pyrénées. Chacun compte une armée de jeunes gens. Il faut les nourrir, les encadrer, les fournir de munitions dans la mesure du possible. C'est un nouveau et terrible problème pour la résistance.

Certains groupes se sont organisés d'eux-mêmes en communautés. Ils éditent de temps en temps un journal. Ils ont leurs lois. Une sorte de petite République. D'autres font chaque jour le salut aux couleurs. Drapeau à Croix de Lorraine. Le prochain courrier pour Londres comporte des photographies de ces cérémonies.

Mais la plupart des garçons, jeunes ouvriers, étudiants, commis, employés, ont besoin d'une direction cohérente et forte, d'argent, de liaisons. Désigné un Comité de trois, chez nous, pour s'occuper d'eux :

Félix, Lemasque et Jean-François. Ils ont des qualités et des défauts qui se complètent.

-:-

Expédié une équipe de réception pour gens et colis venant d'Angleterre. Composition de l'équipe : un pompier, un boucher, un secrétaire de mairie, un gendarme, un docteur. Moyens de transport : la voiture de la gendarmerie et la camionnette du boucher.

-:-

Bonne journée :

1. Un poste émetteur fonctionne chez la fermière qui nous a hébergés avant le départ en sous-marin.

2. Félix est sorti de la clinique avec une cheville tout à fait correcte et une barbe bien fournie. Il fait savoir qu'il est en contact avec Lemasque.

3. Arrivée de Mathilde.

Elle s'est évadée avec soixante détenus du palais de Justice de Paris, où ils avaient été conduits pour interrogatoire. Elle ne sait pas comment cela a été préparé et par qui. Complicités intérieures selon toute probabilité. Sur un mot d'ordre, ils n'ont eu qu'à suivre les couloirs jusqu'à la porte qui donne place Dauphine, l'ouvrir et sortir.

Mathilde est restée cachée trois jours dans Paris. Elle a résisté à l'envie furieuse de voir ses enfants. Elle assure qu'elle n'a jamais fait et ne fera jamais quelque chose d'aussi dur. Elle m'a montré une photographie qu'elle a su dissimuler à toutes les fouilles. Six enfants, depuis l'aînée, une jeune fille de dix-sept ans, jusqu'au bébé que Mathilde a promené longtemps couché sur des piles de journaux interdits. « Je suis sûre que ma grande Thérèse soignera bien les petits. Moi, je ne pourrai plus m'occuper d'eux jusqu'à la fin de la guerre », a dit Mathilde. Elle a repris la photographie et l'a cachée de nouveau. Elle a demandé du travail tout de suite, beaucoup de travail, et dangereux. J'ai dit que je réfléchirais un peu. Je sais qu'elle peut faire beaucoup et faire bien. Il faut l'employer au mieux. Elle reste au château en attendant.

-:-

Examiné beaucoup de rapports.

Pour les gens de la résistance, la marge de vie se rétrécit sans cesse. La Gestapo multiplie les arrestations et les tribunaux allemands les condamnations capitales. Et maintenant, la police française livre automatiquement les Français qu'elle détient à toute réquisition de l'ennemi. Avant, il y avait la prison, le camp de concentration, la résidence forcée, ou même un simple avertissement des autorités. Aujourd'hui, c'est presque toujours la mort, la mort, la mort.

Mais, de notre côté, on tue, on tue, on tue.

Les Français n'étaient pas préparés, pas disposés à tuer. Leur tempérament, leur climat, leur pays, l'état de civilisation où ils étaient arrivés, les éloignaient du sang. Je me rappelle combien, dans les premiers temps de la résistance, il nous était difficile d'envisager le meurtre à froid, l'embuscade, l'attentat médité. Et combien il était difficile de recruter des gens pour cela. Il est bien question maintenant de ces répugnances !

L'homme primitif est reparu chez les Français. Il tue pour défendre son foyer, son pain, ses amours, son honneur. Il tue chaque jour. Il tue l'Allemand, le traître, le dénonciateur. Il tue par raison et il tue par réflexe. Je ne dirai pas que le peuple français s'est durci. Il s'est aiguisé.

-:-

En venant de Paris, Mathilde a fait une partie du voyage avec cette comtesse douairière, chez qui le patron allait écouter de la musique. La comtesse emmenait un petit mitrailleur anglais, caché jusque-là. À un changement de train, il a fallu passer deux heures dans une salle d'attente. Soudain, vérification des papiers. L'Anglais n'en avait pas. Il ne savait pas un mot de français. La vieille dame l'a fait coucher par terre, et s'est assise sur lui. Elle a étalé ses jupes longues à la très ancienne mode. Les policiers n'ont rien vu. Complicité générale des voyageurs, naturellement.

-:-

Longues conversations avec Mathilde. Je savais par le patron qu'elle était une femme remarquable, mais elle m'a tout de même étonné. Mathilde est faite pour organiser, pour commander, et en même temps pour servir. Elle voit simple et clair. Elle voit juste. Elle a une volonté, une méthode, une patience et une haine de l'Allemand également puissantes. Maintenant que tous ses liens familiaux sont tranchés par l'ennemi, elle est contre lui un instrument extraordinaire.

Mathilde a beaucoup appris en prison sur les moyens de changer d'aspect, sur les façons de s'évader, sur la technique des attentats. Je la prends comme adjoint. Elle va faire un tour dans toute la zone sud et prendre contact avec les chefs de secteurs. Elle me retrouvera dans une grande ville. Les liaisons ici sont beaucoup trop lentes.

-:-

Hasard ? Chance ? Prémonition ? Instinct ?

J'ai quitté le château il y a une semaine. Deux jours après mon départ, le baron de V... a été pris en même temps que le cheminot, notre chef de secteur. Ils sont déjà fusillés.

-:-

La France est une prison. On y sent la menace, la misère, l'angoisse, le malheur comme une voûte pesante et qui s'affaisse chaque jour davantage sur les têtes. La France est une prison, mais l'illégalité est une évasion extraordinaire. Les papiers ? On les fabrique. Les tickets d'alimentation ? On les vole, dans les mairies. Voitures, essence ? On les prend aux Allemands. Gêneurs ? On les supprime. Les lois, les règles n'existent plus. L'illégal est une ombre qui glisse à travers leur réseau. Plus rien n'est difficile, puisque l'on a commencé par le plus difficile : négliger ce qui est l'essentiel : l'instinct de la conservation.

-:-

Scène de voyage.

Mon train s'arrête en gare de Toulouse plus longtemps qu'il ne le devrait. Des agents de la Gestapo examinent les pièces d'identité. Ils sont dans mon wagon (de troisième). Ils sont dans mon compartiment.

Pas d'incident. Leurs pas s'éloignent. Mais un autre policier survient et fait signe à l'un des voyageurs de le suivre. Le voyageur tourne le dos à l'Allemand, se baisse comme pour ramasser le journal qu'il a laissé tomber. Et nous voyons tous qu'il prend un revolver suspendu sous son aisselle, enlève le cran de sécurité et le remet dans la poche de son veston. Tout cela très naturellement, très vite. Un calme parfait. Le voyageur prend sa valise et sort. Le train se met en route. Le voyageur reparaît.

« Il avait fait une erreur », dit-il, en reprenant sa place. Il coupe une cigarette en deux, et fume une moitié. Les conversations recommencent dans le compartiment.

-:-

Scène de voyage.

Dans le couloir d'un wagon de troisième, où les gens sont imbriqués les uns dans les autres, une jeune fille jette de temps en temps un regard rapide sur un paquet assez volumineux et enveloppé de mauvais papier, placé à quelques mètres d'elle. Piétinements des voyageurs. Allées et venues aux arrêts du train, de gens qui s'écrasent. Le paquet se déchire, s'éventre. La jeune fille s'éloigne. Le contenu du paquet s'éparpille. Ce sont des piles de journaux clandestins. Les voyageurs les ramassent. La jeune fille a disparu.

Résultat du manque de valises, de papier et de ficelle solides.

-:-

Un groupe de résistance a retiré comme la nuit tombait beaucoup de plaques d'égouts à Marseille. Les

Allemands et les amis des Allemands ayant seuls le droit de sortir après le couvre-feu, il n'y a pas eu de gens à regretter parmi ceux qui se sont rompu les os au fond des égouts.

-:-

La Gestapo et la police française à ses ordres placent à toutes les gares importantes des hommes doués d'une grande mémoire visuelle et qui ont étudié avec soin les photographies des patriotes qu'on recherche. Ce sont des « physionomistes » analogues aux employés que l'on trouvait à la porte des salles de jeux dans les grands casinos, et dont le rôle était de se rappeler chaque figure de joueur.

-:-

La Gestapo emploie volontiers pour ses filatures des hommes âgés, à mine débonnaire, décorés. On se méfie moins de ces messieurs grisonnants. Quand on est pisté par eux, le danger n'est pas imminent encore. Ils situent, localisent et renseignent. Mais si après on voit apparaître dans son sillage des suiveurs plus jeunes et plus robustes, il faut être prêt à tout.

-:-

J'habite dans une grande ville, chez un juge d'instruction et en qualité de domestique. La couverture est bonne. Malheureusement, je dois toujours recevoir beaucoup de monde. Le va-et-vient se remarque très vite dans une maison tranquille. Je ne pourrai pas rester longtemps.

-:-

Mathilde est revenue de sa tournée. Elle m'a présenté un rapport complet sur nos secteurs. Elle a vu tout le monde. Elle a passé toutes les nuits en chemin de fer. C'est moins fatigant d'après elle que de s'occuper, quand on est pauvre, d'une grande famille. En vérité, elle n'a plus du tout l'air d'une femme d'intérieur.

Je pense que sa nouvelle façon de vivre et une fureur froide, désespérée, ont transformé son expression et ses mouvements. Mais aussi, elle s'y applique. Elle me dit qu'en route, elle a changé plusieurs fois de personnage. Tantôt, elle se poudrait les cheveux et mettait une robe noire austère. Tantôt, elle se maquillait et s'habillait d'une manière voyante. « Je passe de la vieille dame patronnesse à la vieille grue assez facilement », dit Mathilde sur le ton affairé qui est le sien.

Une des choses les plus importantes qu'elle ait faites a été de se mettre en rapport avec les chefs locaux des autres groupements, pour éviter les chevauchements et les interférences dans les opérations. Il arrive que deux ou trois organisations différentes aient en même temps le même objectif : sabotage, déraillement, attentat ou exécution. Si l'on travaille sans contact, les effectifs sont multipliés par deux ou trois, inutilement, et les risques aussi. Et cela fait une ou deux équipes qui pourraient être employées ailleurs. Il faut éviter également qu'une opération mineure attire les forces de police dans un endroit où se prépare une opération plus vaste. Évidemment, l'échange des plans augmente les chances de fuites et d'indiscrétions.

C'est l'éternel problème de la vie secrète. On ne peut pas recruter, on ne peut pas agir sans faire confiance et la confiance, c'est l'imprudence. Le seul remède : cloisonner pour limiter les dégâts. Les communistes sont les grands maîtres du cloisonnement, comme en tout dans la cité souterraine. Mathilde revient émerveillée de la force, de la discipline, de la méthode qu'elle a entrevues chez eux. Mais à moins de faire de l'action clandestine pendant un quart de siècle, on ne peut pas les égaler. Ce sont des professionnels, nous payons l'apprentissage.

-:-

Mathilde a trouvé une mansarde chez une couturière à la journée. Elle a dit qu'elle était infirmière. Elle aura ses papiers demain. Elle va diriger un de nos groupes de combat.

-:-

Je suis toujours chez le juge d'instruction. Il n'est rien dans l'organisation qu'un ami prêt à rendre service. Mais un ami sûr. Il vient d'instruire une affaire gaulliste, où quatre des nôtres sont inculpés. L'un des quatre, arrêté, a fait des aveux qui ont mené les trois autres en cellule. Le juge a su convaincre le dénonciateur de revenir sur ses déclarations et de les mettre uniquement au compte des brutalités de la police (qui sont réelles). Le juge lui a dit : « Mes conclusions vous assureront la peine la plus légère. »

En vérité, il a tout fait pour que le dénonciateur reste enfermé le plus longtemps possible. Nous ne disposons pas de prisons. C'est une chance que de pouvoir employer parfois à notre bénéfice celles de Vichy.

Chaque soir, le juge me racontait les progrès de l'affaire. Les trois camarades sauront comment ils ont été libérés, seulement après la guerre...

S'ils survivent et si je survis.

-:-

Le patron est à Paris.

Je lui ai fait tenir, par Jean-François, un long courrier verbal. Jean-François est revenu. Le patron est d'accord, pour que Félix, Lemasque et Jean-François s'occupent du maquis sur place. Le patron approuve le poste que j'ai confié à Mathilde.

-:-

En allant sur Paris, Jean-François portait une valise de tracts. Il avait mis également dans cette valise un jambon. Il a pitié de son frère. En effet, le patron meurt de faim… Dans la rue, Jean-François a été agrippé par un garde mobile, et a dû ouvrir sa valise. Le garde a bien examiné le contenu. Il avait un visage très dur. Jean-François se préparait à le jeter à terre et fuir. Mais le garde lui a dit seulement : « Vous ne devriez pas mélanger le marché noir avec le travail contre les Boches. Ce n'est pas propre. » Quand Jean-François a raconté l'histoire à son frère, le patron a été très ému par elle. Beaucoup plus que par les aventures où tant des nôtres laissent leur vie.

-:-

La Gestapo dispose de sommes énormes pour ses indicateurs. Nous connaissons une petite ville de

10 000 habitants, où le budget de la Gestapo est d'un million de francs par mois. Avec cela, elle a pu acheter quatre salauds bien repérés. On pourrait les liquider assez facilement. Mais je pense qu'il vaut mieux les conserver jusqu'au règlement final. Les traîtres dont on connaît les visages sont moins dangereux.

-:-

Nous avons des amis partout chez l'ennemi. Et je me demande même si l'ennemi se doute à quel point ils sont nombreux, actifs et bien distribués. Je ne parle même pas des organismes de Vichy. Il n'y a pas une sous-préfecture, une mairie, une gendarmerie, un office de ravitaillement, une prison, un commissariat, un bureau de ministre où les nôtres ne soient pas installés. Chaque fois qu'un de nos camarades risque d'être livré à la Gestapo, Laval en personne trouve sur son bureau une note l'avertissant qu'il est comptable vis-à-vis de notre camarade.

Pour Vichy, la chose n'est pas difficile. Mais chez les Allemands eux-mêmes, nous avons nos entrées.

-:-

Le Bison est toujours parfait. Mathilde lui a demandé quatre uniformes allemands. Le Bison les a eus.

Cela veut dire à coup sûr la mort de quatre soldats allemands. Nous ne saurons jamais comment Le Bison a fait. Il a le silence des hommes de la Légion.

Mathilde l'étonne et lui en impose. Il dit d'elle : « C'est quelqu'un. »

-:-

Déménagé. Appartement sous un cinquième faux nom. Papiers : officier de coloniale à la retraite. Piqûres contre le paludisme : Mathilde, en infirmière, vient me les administrer.

-:-

L..., des services du général de Gaulle, arrive de Londres. Cela fait son cinquième voyage. Il avait eu beaucoup de travail avant son départ. Deux nuits sans sommeil. Avion. Parachute. Douze kilomètres à pied. Le train au petit matin. S'endort. Sa tête portant violemment contre son voisin, il se réveille. Il se croit encore en Angleterre. Il dit : « Oh ! I am so-sorry. » Il se frotte les yeux, son voisin était un officier allemand. Pas eu de conséquences fâcheuses.

-:-

À son dernier départ pour Londres, L... a emmené sa famille avec lui. Il fallait qu'elle fût à l'abri. Cette famille comprenait sa femme, ses deux petites filles (6 ans, 4 ans) et un petit garçon de 18 mois. Voici le récit de L... :

« Je m'étais arrangé avec un pêcheur qui voulait gagner l'Angleterre. Il a truqué son bateau. Le matin, avant de nous rendre à bord, j'ai réveillé mes filles. Il faisait encore nuit. Je leur ai recommandé le silence et de faire leur prière avec plus d'attention et de foi que de coutume. Puis je leur ai dit que nous allions faire un voyage en mer très dangereux et que nous pouvions ne plus nous revoir si Dieu n'était pas avec nous. Le bateau était ancré dans une petite rivière. Nous nous sommes glissés dans notre cachette et nous sommes partis. À l'estuaire, visite des douaniers allemands. J'entendais leurs bottes et j'avais l'impression qu'elles marchaient contre mon cœur. J'étais couché sur le dos et je tenais dans mes bras le bébé. S'il avait poussé un cri, un gémissement, nous étions perdus. Je lui parlais à l'oreille et je suis sûr qu'il a compris. La visite a été longue. Il n'a pas émis le moindre son.

« Quand nous nous sommes installés à Londres, j'ai feuilleté une sorte de journal que mon aînée tient avec beaucoup de régularité. Elle avait fort bien raconté le réveil dans la nuit, la prière et mes avertissements. Elle a conclu : « Pour nous qui sommes habitués à ces choses, nous n'avons pas été surpris. »

-:-

Première opération de Mathilde.

Un de nos chefs de groupe les plus utiles avait été transporté récemment de la prison où il était détenu dans un hôpital. Hier soir, une ambulance avec quatre soldats allemands et une infirmière a montré un ordre de la Gestapo pour que lui fût livré notre chef de secteur. Ni Mathilde ni ses hommes n'ont eu à se servir de leurs armes.

-:-

Félix, Lemasque et Jean-François travaillent à plein pour organiser quelques réduits de montagne où se sont réfugiés des réfractaires à la déportation.

Visité le secteur de Lemasque.

Je ne suis pas émotif, mais ce que j'ai vu, je ne crois pas que je l'oublierai jamais. Des centaines et des centaines de jeunes gens retournent à l'état sauvage. Ils ne peuvent pas se laver. Ils ne peuvent pas se raser. Leurs cheveux longs flottent sur des joues brûlées par le soleil et par la pluie. Ils couchent dans des trous, dans des grottes, dans la boue. La nourriture est un problème quotidien et terrible. Les paysans font ce qu'ils peuvent, mais cela ne peut durer indéfiniment. Les vêtements s'en vont en lambeaux. Les souliers se déchirent aux pierres. J'ai vu des garçons chaussés de morceaux de vieux pneus ou même de morceaux d'écorce attachés aux pieds avec des ficelles. J'en ai vu d'autres qui ont pour tout vêtement un vieux sac à pommes de terre fendu en deux et noué autour des reins comme un pagne. On commence à ne plus reconnaître chez ces garçons leur origine. Sont-ils cultivateurs, ouvriers, employés, étudiants ? Ils portent tous la même maigreur, la même misère, la même dureté et la même colère sur leur visage. Ceux que j'ai visités sont bien disciplinés par Lemasque et les adjoints qu'il a choisis. Nous leur faisons tenir des vivres et de l'argent dans la mesure du possible. Mais il y a dans les divers « maquis » des milliers de réfugiés. Aucune organisation secrète ne peut suffire à leurs besoins les plus primitifs. Faudra-t-il donc qu'ils meurent de faim, ou qu'ils pillent, ou qu'ils se rendent ? Et l'hiver n'est pas venu. Malheur à ceux qui mettent nos jeunes hommes devant un choix pareil !

-:-

Lemasque s'est amélioré d'une façon étonnante. Les fonctions dont il s'est chargé quand j'étais à Londres, son poste actuel lui ont appris la décision, l'autorité. Il contrôle ses nerfs. Son exaltation contenue a une action certaine et puissante sur des gens instinctifs comme ceux auxquels il commande.

Je n'ai pas le temps de voir les régions de Jean-François et de Félix. Il faut que je fasse un rapport à Londres d'urgence pour le prochain courrier sur cette inspection.

-:-

Félix m'a dépêché un agent de liaison avec toute une liste de choses nécessaires à son maquis. Au bas de la liste, la note suivante :

« Vichy a envoyé dans la région une compagnie de gardes mobiles pour nous traquer. Je me suis mis en rapport avec le capitaine. On a causé. On s'est compris. Il m'a déclaré : "N'ayez aucune crainte. J'étais officier de la Garde Républicaine. J'ai prêté serment de garder la République. Aujourd'hui la République est dans le maquis. Je la garde." »

-:-

Mathilde a fait une découverte qui recoupe définitivement certains renseignements dont nous n'étions pas tout à fait sûrs.

La couturière chez qui Mathilde a loué une mansarde a un fils d'une douzaine d'années. Comme tous les enfants des villes à notre époque, il a le teint gris, les muscles mous et des yeux d'affamé. Il est très doux et d'une grande délicatesse de sentiments. Mathilde l'aime beaucoup. Ce petit garçon travaille comme chasseur à l'hôtel T… La place est bonne. Non pas tellement pour le salaire que pour les restes du restaurant que l'on donne parfois à l'enfant. Mathilde a été invitée à partager quelques-unes de ces fêtes. Il paraît que rien n'est aussi pathétique que de voir le petit prétendre qu'il n'a pas faim pour donner le plus possible à sa mère, et la mère jouer la même comédie alors que leurs regards ne peuvent se détacher de la nourriture.

Or, depuis quelque temps l'enfant passait des nuits affreuses. Il gémissait, pleurait, criait, étouffait dans son sommeil. Les tremblements qui le secouaient allaient presque jusqu'à la convulsion. Il semblait délirer. « Ne faites pas de mal !... » « Ne la tuez pas !... » « Arrêtez, je vous en prie, arrêtez de crier comme ça ! »

La mère a demandé conseil à Mathilde, qu'elle croit toujours une infirmière. Mathilde a passé une partie de la nuit à écouter les cauchemars du petit. Puis elle l'a réveillé avec précaution. Elle l'a interrogé. Une femme qui a eu autant d'enfants que Mathilde et qui les a autant aimés sait parler aux gosses. Le fils de la couturière lui a tout raconté. Il y a environ une semaine, on l'a mis à la disposition des clients qui habitent le troisième étage de l'hôtel où il travaille. Il doit se tenir sur le palier et répondre aux coups de sonnette. L'étage est entièrement occupé par des messieurs et des dames, dit-il, qui parlent bien le français, mais qui sont tous des Allemands. Ces personnes reçoivent beaucoup de monde. Il y a des hommes ou des femmes qui viennent toujours entre deux soldats allemands. Et ces Français et ces Françaises ont toujours des yeux comme s'ils avaient peur et ne voulaient pas le montrer. Et on les fait toujours entrer dans la même chambre, le numéro 87. Presque toujours on entend dans cette chambre des cris et des bruits de coups et des plaintes. Cela s'arrête et puis reprend et reprend encore. « À vous rendre malade, je vous le jure, madame », disait l'enfant à Mathilde. « Les voix des femmes à qui on fait mal, cela surtout est terrible. Et si vous pouviez voir dans quel état ils sortent de là. Souvent on les emporte dans une autre chambre et puis on les ramène. Ça recommence. Je ne voulais en parler à personne parce que j'ai peur d'y penser. »

C'est ainsi que nous avons situé la chambre des tortures pour cette ville.

-:-

Le jour suivant Mathilde m'a demandé quel conseil j'aurais donné à la couturière au sujet de son fils.

— Mais le retirer de l'hôtel tout de suite, ai-je dit.

— Eh bien, j'ai persuadé cette femme de le laisser au même service, m'a dit Mathilde. C'est tellement précieux d'avoir un espion dans cet endroit, et un espion innocent.

Les lèvres de Mathilde se sont rétrécies, et elle m'a interrogé d'un regard très triste. J'ai bien été forcé de lui dire qu'elle avait raison.

-:-

Un coup dur pour notre journal.

Il était composé dans plusieurs imprimeries différentes. Une partie dans chacune d'elles. Ainsi les typographes qui travaillaient pour nous pouvaient faire vite et n'étaient pas remarqués. Puis, les plombs étaient portés le même jour dans une boîte aux lettres parmi dix autres rangées le long d'un couloir. Le camarade qui habitait la maison et qui disposait de la boîte aux lettres recueillait les plombs et les faisait parvenir dans une autre imprimerie où se faisait le tirage du journal. Hier, le fond de la boîte aux lettres, trop vieille, sans doute, a cédé. Les plombs sont tombés dans le couloir. Un imbécile de locataire qui passait a cru que c'étaient des explosifs (il y a presque chaque jour un attentat à la bombe dans la ville). Le locataire a prévenu la police. Notre ami est en cellule. La Gestapo l'a déjà réclamé.

Je pense qu'il résistera à la chambre 87. Mais de toute manière il faut changer toutes les imprimeries. À présent, avec la torture allemande, la règle est formelle. Dès qu'un camarade qui sait quelque chose est arrêté, il faut considérer *a priori* que tout ce qu'il sait la Gestapo le sait aussi. Je change de nom et de logement.

-:-

Le capitaine de gardes mobiles a tenu la promesse qu'il a faite à Félix. Il n'a trouvé dans le maquis aucun réfractaire à la déportation. Il opère bien chaque jour une ronde dans les bois et les vallées, mais il a soin d'envoyer en reconnaissance un motocycliste qui fait un bruit infernal. Ainsi tout le monde est prévenu. Mais le capitaine vient de signaler à Félix que deux officiers de S.S. sont arrivés pour surveiller et diriger les opérations de chasse à l'homme.

-:-

Un patron de bordel a dit à l'un de ses amis qui tient un bar :

— Ma maison a été réquisitionnée par les Boches. Elle n'a jamais tant travaillé. Mais je ne veux pas de cet argent. Il me brûle les mains. Je voudrais l'employer contre les Boches.

Le patron du bar a parlé de ce désir au Bison. Celui-ci l'a confié à Mathilde. Elle a vu le patron de bordel.

— « Comment saurai-je que c'est vraiment contre les Boches ? » a demandé ce dernier. « On vous dira une phrase convenue à la radio de Londres », a répondu Mathilde. Nous avons passé la phrase. Elle a été répétée par la B.B.C. Nous avons reçu 500 000 francs. De plus, le patron de bordel a mis à notre disposition une magnifique propriété. Un vieux général qui nous a beaucoup aidés par ses relations dans l'armée et qui est traqué par la police y a déjà trouvé refuge.

-:-

Une expérience de Félix.

Le capitaine de gardes mobiles a prévenu que les deux officiers de S.S. commençaient à soupçonner son manège et qu'il ne pourrait pas résister longtemps à leur pression. Félix s'est mis à étudier les lieux et les habitudes des deux Allemands. La compagnie de gardes mobiles est cantonnée dans un grand village. Les deux Allemands, eux, ont loué un chalet au flanc de la montagne. Levés de très bonne heure, ils allaient toujours prendre leur café dans une petite auberge située entre leur chalet et le village. Le sentier qui conduit à l'auberge est très encaissé et fait un coude à un certain endroit. Le lieu était parfait pour une embuscade.

Félix dispose d'une mitraillette. Il peut liquider les Allemands tout seul. Mais il y a dans le village deux braves types qui racontent partout qu'ils sont prêts à n'importe quoi contre les Boches. L'un est le facteur, l'autre le bourrelier. Félix pense que c'est l'occasion de les éprouver. S'ils ne sont que des vantards de café, il vaut mieux en être averti. S'ils sont vraiment capables d'action, il faut se les attacher. Félix propose le coup au facteur et au bourrelier. Ils acceptent.

À l'aube, les trois hommes sont au coude que fait le sentier. Félix a sa mitraillette. Le facteur et le bourrelier ont des revolvers. Le soleil commence à se lever. Les Allemands approchent. On les entend parler et rire fort. Ils n'ont aucune inquiétude. Ils sont les maîtres dans un pays conquis. Félix apparaît et braque sur eux sa mitraillette. Les deux officiers regardent une seconde cet homme court, barbu, le visage rond et rouge. Ils lèvent les bras.

— Ils ont compris tout de suite, me dit Félix, leur visage n'a même pas bougé. Félix n'avait qu'à presser sur la détente pour en finir. Mais il voulait que le facteur et le bourrelier fissent leurs preuves et leur apprentissage. Il leur a commandé de tuer chacun un homme. Ils se sont avancés et ont tiré plusieurs balles. En fermant un peu les yeux, paraît-il. Les Allemands sont tombés avec beaucoup de simplicité. Leur fosse était préparée à l'avance. Félix et ses complices y ont jeté les corps et remis des carrés de terre avec de l'herbe par-dessus. Sauf ces trois hommes personne ne pourra jamais retrouver les cadavres des officiers de S.S.

— « C'était du beau travail », m'a dit Félix, « mais pour parler franc, j'avais un peu le cœur retourné. Ces salauds ont eu vraiment du courage. Et ce regard quand ils m'ont compris me restait sur l'estomac. On a caché nos armes et celles des S.S. et on a été prendre un café au bistrot où se rendaient les Boches. Je me demandais comment mon facteur et mon bourrelier allaient réagir, parce que moi, tout de même, qui ai vu des coups durs, ma nausée continuait. Eh bien, eux, ils ont pris leur jus tranquillement et ils se sont mis à ronfler sur la banquette. L'après-midi le facteur portait ses lettres et l'autre vendait sa camelote comme de rien. »

Félix a frotté sa tonsure et il a dit : « On a bien changé les Français. »

-:-

Le patron sera enchanté par le facteur et par le bourrelier. Cet homme d'une intelligence et d'une culture exceptionnelles n'aime que les histoires des enfants et des simples.

-:-

Je loge chez un jeune ménage de condition très modeste. Lui est comptable dans une maison de soyeux et passe ses nuits à voyager comme agent de liaison pour nous. La femme va aux queues, fait la cuisine, s'occupe de la maison et me sert de secrétaire, ce qui la force également à passer des nuits blanches. Elle a des syncopes assez fréquentes. J'en parle au mari. Il trouve cela tout naturel. Il aime pourtant sa femme. Mais notre travail passe avant.

-:-

Je crois que chez les gens de la résistance, il se produit une évolution en sens inverse selon les tempéraments. Ceux qui étaient doux, tendres, pacifiques, se durcissent. Ceux qui étaient durs comme je l'étais, comme je le suis encore, deviennent plus perméables aux sentiments. L'explication ? Peut-être les gens qui voyaient la vie sous des couleurs riantes se défendent par une sorte de bouclier intérieur au contact des réalités souvent affreuses que découvre la résistance. Et peut-être les gens qui avaient comme moi une vue assez pessimiste de l'homme s'aperçoivent dans la résistance que l'homme vaut bien mieux que ce qu'ils pensaient de lui.

Il n'y a que le patron qui reste toujours égal à lui-même. Je pense qu'il a accepté depuis longtemps les possibilités en bien ou en mal que porte en lui sans le savoir un être humain.

-:-

Longue conversation avec Louis H., le chef d'un groupement avec lequel nous travaillons souvent. Nous avons parlé d'abord d'une question très précise. Louis H. a dans un camp de concentration français, trois hommes auxquels il tient beaucoup. Ces trois hommes, la Gestapo les a exigés. Ils vont lui être livrés par chemin de fer dans quatre jours. L'organisation de Louis H. a été terriblement éprouvée depuis un mois et il n'a pas les éléments qu'il faut pour essayer de délivrer ses camarades. Il est venu me demander si nous pouvions nous charger de l'opération. Je donnerai les ordres nécessaires.

Ensuite, sans le vouloir, et comme le font d'anciens camarades de lycée, de régiment, ou de guerre, nous nous sommes laissés aller aux souvenirs. Tous les deux nous sommes parmi les vieux de la résistance. Nous avons vu couler beaucoup d'eau et de sang sous les ponts. Louis H. calcule que sur les quatre cents membres qui au début formaient leur groupe, il en reste cinq qui sont encore ou en vie ou en liberté. Si chez nous la proportion des survivants est plus importante (question de chance, d'organisation, peut-être), le déchet est tout de même terrible. Et la Gestapo fauche sans cesse, plus serré, plus dru. Mais l'ennemi ne peut plus réussir à supprimer la résistance. C'est fini, il est trop tard. Nous disions avec Louis H. que, il y a un an, si les Allemands avaient fusillé ou arrêté un millier d'hommes bien choisis, ils décapitaient nos groupements et désunissaient la résistance pour longtemps, peut-être jusqu'à la fin de la guerre. Aujourd'hui, c'est impossible. Il y a trop de cadres, de sous-cadres, de volontaires, de complices. On déporterait tous les hommes que les femmes resteraient. Et il en est d'étonnantes. La résistance a pris la forme de l'Hydre. Coupez-lui la tête, il en repousse dix, à chaque jet de sang.

-:-

Louis H. parti, j'ai une sorte de dépression. Il n'est pas bon de compter les disparus. Et puis, je ne dors pas assez tous ces temps-ci. J'ai pensé au Mont Valérien où *tous les jours* on fusille, à cette propriété de Chaville, où *tous les jours* un camion amène des condamnés devant un peloton d'exécution, au champ de tir de Z. où *tous les jours* des camarades sont mitraillés.

J'ai pensé aux cellules de Fresnes, aux caves de Vichy, à la chambre 87 de l'hôtel T. où tous les jours, toutes les nuits, on brûle les seins des femmes, on brise les orteils, on enfonce des épingles sous les ongles, on fait passer des courants électriques dans les parties sexuelles. J'ai pensé aux prisons, aux camps de concentration où l'on meurt de faim, de tuberculose, de froid, de vermine. J'ai pensé à l'équipe de notre journal renouvelée complètement à trois reprises. À des secteurs où il ne reste plus un des hommes, une des femmes, qui ont vu naître le travail.

Et je me suis demandé en esprit positif, en ingénieur qui dessine une épure : Est-ce que le résultat que nous pouvons obtenir vaut ces massacres ? Est-ce que notre journal paye la mort de ses rédacteurs, de ses imprimeurs, de ses porteurs ? Est-ce que nos petits sabotages, nos attentats au détail, notre humble armée secrète et qui n'agira peut-être jamais, est-ce que cela balance nos effroyables ravages ? Est-ce que nous, les chefs, nous faisons bien d'enflammer, d'entraîner et de sacrifier tant de braves gens et de gens braves, tant de naïfs, d'impatients, d'exaltés dans un combat étouffant, dans une lutte de secrets, de famine et de supplice ? Est-ce que, enfin, la victoire a vraiment besoin de nous ?

En esprit positif, en mathématicien honnête j'ai dû reconnaître que je n'en savais rien. Et même que je ne le croyais pas. En chiffres, en bilan pratique, nous travaillons à perte. Alors, ai-je songé, alors honnêtement il faut abandonner. Mais à l'instant même où la pensée de renoncer m'est venue, j'ai senti que cela était impossible. Impossible de laisser à d'autres le soin et le poids entier de nous défendre, de nous sauver. Impossible de laisser à l'Allemand le souvenir d'un pays sans sursaut, sans dignité, sans haine. J'ai senti qu'un ennemi tué par nous qui n'avons ni uniforme, ni drapeau, ni territoire, j'ai senti que le cadavre de cet ennemi-là était plus lourd, plus efficace dans les plateaux qui portent le destin des nations que tout un charnier sur un champ de bataille. J'ai su que nous faisions la plus belle guerre du peuple français. Une guerre matériellement peu utile puisque la victoire est assurée même sans notre concours. Une guerre à laquelle personne ne nous oblige. Une guerre sans gloire. Une guerre d'exécutions et d'attentats. Une guerre gratuite en un mot. Mais cette guerre est un acte de haine et un acte d'amour. Un acte de vie.

— « Pour qu'un peuple soit aussi généreux de son sang », disait un jour le patron avec son rire silencieux, « cela prouve tout au moins qu'il a des globules rouges. »

-:-

Une communiste m'a dit :

— Ma copine, un petit bout de femme de rien, ils l'ont tellement torturée à la Santé que, après s'être évadée, elle a toujours du poison sur elle. Vous comprenez, elle ne peut plus recommencer à souffrir ça. Elle aime mieux mourir. Alors elle a demandé au parti du poison pour le cas où elle serait prise de nouveau. Parce que, renoncer à travailler contre les Boches, vous comprenez, il n'y a rien à faire. *Autant mourir tout de suite.*

-:-

Passé la journée à la campagne chez un gros propriétaire de vignobles.

Il m'a dit entre autres choses :

— Le jour où vous aurez besoin d'un tank, prévenez-moi.

J'ai appris que pendant la retraite de nos armées il avait recueilli un vieux char Renault. Il l'avait fait rouler jusqu'à un de ses garages et l'y avait muré. Je n'ai pas eu le courage de dire à cet homme que sa ferraille n'était bonne à rien. Il en était si fier. Et puis, il a risqué pour elle sa vie qui est facile et douce.

-:-

Mathilde et Le Bison sont partis aménager l'évasion des trois prisonniers que nous a confiés Louis H.

-:-

Une aventure de Jean-François.

La région du maquis où travaile Jean-François n'est pas très loin d'une ville assez importante. Jean-François s'y rend souvent pour le ravitaillement, les liaisons, les faux ordres de mission, etc. Il s'y est rendu trop souvent, je pense, parce qu'il a été arrêté à la descente du train. Par des policiers français.

De son passage dans les corps francs Jean-François a gardé le goût des grenades. Il en avait trois dans sa valise. Comme ses deux gardiens et lui avançaient parmi la foule des voyageurs dans l'étroite sortie de la gare, Jean-François a pu défaire la fermeture de sa valise et en répandre le contenu sur le sol. En ramassant ses affaires il a glissé les grenades dans ses poches. Tandis qu'on le conduisait au commissariat, il s'est baissé deux fois pour renouer les lacets de ses souliers. Les grenades sont restées dans le ruisseau du trottoir.

Les policiers ont conçu à ce moment quelque méfiance de ses mouvements et lui ont mis les menottes.

— Enlevez-lui ça un instant pour qu'il puisse signer sa déposition, a dit le commissaire lorsque Jean-François a été devant lui. À peine les menottes sautaient de ses poignets que les deux bras de Jean-François se détendaient et frappaient de chaque côté un inspecteur. En tombant ils se sont accrochés à Jean-François. Il les a secoués, repoussé le commissaire et a couru vers la sortie du bureau de police. Un curé entrait à ce moment.

— Au voleur !... au voleur !... hurlaient les inspecteurs qui s'étaient mis à la poursuite de Jean-François. Le curé s'est placé en travers de la porte.

— Gaulliste ! Gaulliste !... a crié Jean-François.

Le curé l'a laissé passer et aussitôt a bouché l'issue aux inspecteurs. Ils ont roulé ensemble sur le seuil. Tandis que les policiers se dépêtraient de la soutane, Jean-François a tourné dans une rue, une autre, une autre encore, et s'est trouvé hors de prise.

Mais pour combien de temps ? Son signalement était donné. Son veston s'était déchiré dans la bagarre. Eh allant chez l'une des personnes qu'il connaissait, il risquait de mettre la police sur les traces de toute l'organisation locale. Il fallait quitter la ville au plus vite. Mais la gare était plus surveillée que tout autre endroit. Jean-François décide de s'en aller à pied, mais auparavant il a voulu changer d'aspect. Il entre dans une boutique de coiffeur où il n'y avait personne. Il appelle le patron. Celui-ci sort de l'arrière-salle en traînant ses pantoufles. Il avait une figure déplaisante, chafouine, et des yeux prudents cachés derrière des paupières molles. Une vraie tête d'indicateur. Mais Jean-François n'avait ni le temps ni le choix. Il dit qu'il voulait faire raser sa moustache et teindre en noir ses cheveux qu'il a naturellement d'un blond cendré.

— Une blague que j'ai préparée. Un pari avec une petite amie, dit-il.

Le coiffeur ne répond rien. Il se met au travail en silence. De temps en temps, dans la glace, Jean-François cherche le regard du coiffeur. Il ne le trouve jamais. Ils n'échangent pas un mot durant une heure.

— Je suis vendu, pensait Jean-François.

— Ça va ? demande enfin le coiffeur.

— Très bien, dit Jean-François. Il était en effet méconnaissable. Cette face brune, dure, lui était même pénible à regarder. Il donne vingt francs au coiffeur.

— Je vous rapporte la monnaie, dit celui-ci.

— Ce n'est pas la peine, dit Jean-François.

— Je vous rapporte la monnaie, répète le coiffeur. Il disparaît derrière un rideau fort sale. Jean-François était à ce point certain de se voir dénoncer qu'il hésitait entre deux partis. Fuir simplement, ou assommer l'homme avant de fuir. Il n'a pas eu le temps de se décider. Le coiffeur est revenu presque tout de suite avec sur les bras un vieil imperméable.

— Mettez vite ça, dit-il à voix basse et toujours sans regarder Jean-François. Le manteau n'est pas beau mais je n'ai que celui-là. On se fait remarquer avec des vêtements déchirés comme les vôtres.

-:-

Jean-François raconte cette aventure gaiement, comme toujours, mais cette gaieté ne m'a pas semblé avoir sa fraîcheur ordinaire. Le rire est un peu durci. C'est peut-être le teint des cheveux devenus d'un noir d'encre qui change toutes les expressions de Jean-François. Ou peut-être lui aussi commence-t-il à porter la marque de l'homme en danger perpétuel et à sentir cette invisible présence toujours aux aguets derrière ses épaules.

De toute manière, il ne fera plus de liaison pour le patron. Je ne veux pas que le moindre fil puisse mener la police jusqu'à Saint-Luc. Je l'ai dit à Jean-François. Il a accepté sans rien dire. Il parle très rarement de son frère, et quand il le fait, c'est très court. Le fait que son frère et le patron soient la même personne paraît le dérouter. Je regrette cette réserve de Jean-

François, j'aimais beaucoup lui entendre dire « Saint-Luc ».

-:-

Les trois camarades dont Louis H. nous a confié l'évasion ont pris le train hier à 7 h 45. Ils étaient dans un compartiment de troisième classe, les menottes aux mains et gardés par cinq gendarmes. Mathilde est montée dans le train en même temps qu'eux. Elle portait un manteau noir et sur les cheveux un fichu de même couleur. Elle se trouvait dans le wagon des prisonniers. Le train est passé par plusieurs gares puis il a roulé à travers un paysage désert. À 11 h 10 Mathilde a tiré la sonnette d'alarme. Puis elle s'est glissée jusqu'au compartiment voisin de celui des prisonniers, s'est mise à la portière et a défait son fichu noir. Quelques instants après, comme le train achevait de s'arrêter, Le Bison et deux hommes à nous sortaient du talus de la voie ferrée et pénétraient par l'extérieur dans le compartiment où se tenaient les gendarmes et les camarades de Louis H. Nos hommes avaient des mitraillettes. Les gendarmes ont enlevé les menottes des prisonniers. Puis on a fait déshabiller les gendarmes. Ils n'avaient pas l'air trop fâchés. Les camarades de Louis H. et nos hommes ont pris les uniformes de gendarmes et les mousquetons et ont sauté sur la voie. Le chef de train est arrivé à ce moment.

— Vous pouvez partir, lui a crié Le Bison. Le train s'est remis en marche. Mathilde n'est même pas descendue.

-:-

Le lieu choisi pour l'enlèvement se trouve à une douzaine de kilomètres d'une propriété assez étendue. Cette propriété appartient au gros vigneron qui m'a offert un tank. Il se tenait de l'autre côté du talus de la voie ferrée avec une charrette attelée de deux chevaux. Dans la charrette il y avait de grands tonneaux vides. Les hommes de Louis H. et les nôtres se sont mis au fond des tonneaux. Le vigneron les a rentrés chez lui dans un cellier. Le Bison et ses deux camarades sont repartis à la nuit. Les évadés vont se faire oublier une semaine chez le vigneron. Et engraisser.

-:-

Au cours d'un voyage de ce côté j'ai passé une soirée avec eux. Les trois hommes n'ont plus de chair sur les os. Le régime de leur camp était beaucoup plus dur que celui où j'ai connu Legrain. Travail forcé et imbécile. Pas de colis. Une surveillance de tous les instants. Des sentinelles la nuit dans chaque baraque. Un courant à haute tension dans les barbelés. Une faim telle que les détenus mangeaient l'herbe qui poussait dans le camp. Le commandant faisait son inspection chaque matin une cravache sous le bras. Cela donnait la température aux gardiens.

— Les brutalités ont cependant cessé tout d'un coup et cela grâce à l'intervention du plus saugrenu de nos camarades, dit l'un des évadés. Ce hobereau de province, en temps normal, passait sa vie à composer des romans d'aventure que publiaient les journaux locaux. Il a fait de la résistance dans le style de ses romans. Le miracle est qu'il n'ait pas été fusillé. Nous n'avons jamais vu d'homme plus impulsif, plus bavard, plus chimérique. Mais il a raconté un jour au commandant qu'il avait un poste émetteur caché dans le camp même. Qu'il communiquait avec Londres et qu'il ferait exécuter le commandant si l'on frappait encore une fois un seul détenu. Et la vieille brute a pris peur.

-:-

Il y avait dans le même camp une section pour communistes. Ils étaient comme toujours traités d'une manière particulièrement effroyable. On ne sait comment quelques-uns d'entre eux réussirent à s'enfuir. Trois jours plus tard ils revenaient se constituer prisonniers. Ils s'étaient évadés *sans l'autorisation du parti.* Le parti les renvoyait au camp.

-:-

Ce fait me rappelle la conversation que j'ai eue avec un député communiste évadé du camp de Châteaubriant. Il pouvait s'échapper aisément. Il ne l'a pas fait avant que son parti le lui commande. Trois de ses camarades seulement furent désignés pour cette évasion. Les autres sont restés. Ils furent compris par la suite dans le premier massacre officiel des otages.

En prison et au camp de concentration, le plus cruel tourment de ce député était de penser qu'il avait été pris chez lui. Or, le parti communiste avait prescrit à ses militants responsables de ne jamais coucher à leur domicile.

— Vous comprenez, me disait cet homme qui a donné à son parti vingt-cinq ans de son existence, vous comprenez, je pouvais être exclu. Et je le méritais. Par bonheur, ils ont été gentils à l'exécutif. On m'a simplement lavé la tête et on m'a mis au travail.

Ce travail consistait à publier l'*Humanité* clandestine. À l'époque, quatre de ses rédacteurs en chef avaient déjà été fusillés successivement.

-:-

Je ne connais pas dans la résistance un homme qui ne parle des communistes avec une expression spéciale dans la voix et le visage. Une expression plus sérieuse.

-:-

Un officier des services français de Londres est venu passer quelques semaines à Paris pour une mission importante. Le lendemain du bombardement des usines Renault par les Américains, nous avons entendu dans le métro un ouvrier de ces mêmes usines, et qui avait le bras en écharpe, jubiler ouvertement des résultats du raid. Mon compagnon a glissé quelque chose dans la main valide de l'ouvrier. C'était une croix de Lorraine.

— Je sais bien que le geste est idiot, m'a dit ensuite mon compagnon, mais je n'ai pas été en France depuis trois ans. La découverte de ce peuple nouveau me fait un peu tourner la tête.

-:-

Voyage assez long en compagnie du commandant marquis de B.

Condamné aux travaux forcés à perpétuité pour patriotisme, évadé après trente mois de détention abominable. C'est un homme au tempérament exceptionnel, d'une extrême audace et toujours lucide. En attendant que nous lui trouvions un passage pour l'Angleterre, il parcourt le pays en tous sens pour se documenter, comme s'il se trouvait dans une situation tout à fait régulière, et comme si toutes les polices n'étaient pas à sa recherche.

— J'ai le sentiment d'avoir vécu en aveugle, dit-il. Dans mon milieu, nous n'avions ni l'occasion, ni le temps, ni l'envie, il faut bien le dire, d'approcher et de connaître les gens du peuple. Depuis mon évasion je ne vois qu'eux. Je n'oublierai pas la leçon.

Un soir, par un accroc dans les liaisons, le commandant de B. s'est trouvé sans papiers, et sans argent, dans un village où il ne connaissait personne. Le commandant de B. a frappé à la porte de l'instituteur et lui a demandé l'hospitalité. Sans poser de questions, l'instituteur a mené cet inconnu dans la salle à manger où le dîner – pitoyable naturellement – était servi. Il y avait là une femme et deux enfants. Après le repas, le commandant de B. prend l'instituteur à part et lui dit :

— Vous avez une famille. Je dois vous avertir que je suis un officier supérieur du général de Gaulle, évadé, et que ma tête est mise à prix par la Gestapo.

L'instituteur a soulevé une latte du plancher et montré au commandant deux parabellums.

-:-

À un changement de train, nous avons trouvé de la place dans un compartiment où il y avait un soldat allemand très ivre. Bientôt il a commencé de vomir sur nos pieds. Le visage du commandant de B. est devenu très pâle, et il a dit à mi-voix : « Heraus, Schwein[1]... » Le soldat s'est-il cru en présence d'un

1. Dehors, cochon.

officier allemand en civil ou d'un agent de la Gestapo ? A-t-il simplement obéi par automatisme à une voix impérieuse ? Je ne sais. Mais il a quitté le compartiment.

-:-

Beaucoup parmi les gens de la résistance, passent la plupart de leur temps dans les trains. On ne peut rien confier au téléphone, au télégraphe, aux lettres. Tout courrier doit être porté. Toute confidence, tout contact exigent un déplacement. Et il y a les distributions d'armes, de journaux, de postes émetteurs, de matériel de sabotage. Ce qui explique la nécessité d'une armée d'agents de liaison qui tournent à travers la France comme des chevaux de manège. Ce qui explique aussi les coups terribles qui les atteignent. L'ennemi sait aussi bien que nous l'obligation où nous sommes de voyager sans cesse. Je n'ai jamais fait un trajet de quelque longueur sans rencontrer deux, trois, quatre camarades de mon organisation ou d'une autre. Et j'en ai deviné bien davantage que je ne connaissais pas. La conspiration développe à cet égard un instinct presque infaillible. Je me demande si cet instinct a la même force chez les policiers.

-:-

Je crois que je suis pisté par un vieux monsieur à barbe soignée et à Légion d'honneur. Manœuvre d'approche de la Gestapo ? Je fais mettre quelqu'un des nôtres derrière le vieux monsieur.

-:-

Le Bison a eu un accident stupide. Il faisait route très vite sur une motocyclette volée aux Allemands et a dérapé. Coma. Hôpital. Il avait sur lui ses deux revolvers et son couteau à cran d'arrêt.

Les armes ont été déposées au greffe. La police française et la police allemande sont prévenues. On porte Le Bison toujours sans connaissance sur une table d'opération. Fêlure du crâne, fracture des mâchoires. On le soigne. Les policiers arrivent et le voyant inanimé remettent l'interrogatoire et la fouille au lendemain. Le Bison retrouve ses sens à l'aube. Sa tête est complètement enveloppée de bandages. Il souffre atrocement. Pas de gardes. Il se lève et quitte l'hôpital par une fenêtre. Il va en titubant à travers la ville. Un tramway passe qui se dirige vers une banlieue où il a des amis. Le Bison entre dans le tramway.

— Je voyais quatre portes, a-t-il dit par la suite. Heureusement que j'ai trouvé la bonne.

-:-

Ils sont deux à me suivre. Le vieux monsieur à Légion d'honneur et un autre qui fait semblant de vendre des billets de la Loterie nationale. Il faut disparaître. J'ai sans doute trop voyagé.

-:-

C'est très désagréable. La femme qui me cache a peur. Un prêtre de nos amis lui a demandé de m'abriter. Elle l'a fait par sentiment du devoir et parce que ce prêtre la dirige depuis des années. Mais je la sens dans une angoisse constante. Si l'on sonne ou l'on frappe sa respiration s'arrête, et il m'est impossible de rester sans liaison.

-:-

Je rêve à des déguisements. Mais j'ai les yeux trop rapprochés, le nez caractéristique. La barbe sur mon visage n'est pas naturelle, et puis toutes les barbes attirent maintenant l'attention de la police. Je suis mal fait pour jouer la comédie. Nous avions un camarade qui devenait facilement bossu. Il avait l'air si pitoyable que souvent dans le métro les Allemands lui cédaient leur place. Il s'asseyait avec mille précautions. Il portait beaucoup de choses dans sa bosse.

-:-

Une mission urgente m'oblige à un voyage. Quel soulagement dans les yeux de la femme qui me loge !

-:-

Le jour même où j'ai quitté l'appartement de Mme S. la police est venue. La perquisition n'a rien donné. On a tout de même emmené Mme S.

-:-

Je suis parti pour compléter une série de plans que je tiens à jour depuis longtemps et qu'on réclame à Londres. À l'ordinaire je me rends chez un fermier qui habite assez près de mon objectif et qui me donne tous les renseignements. Pour ne pas qu'on me remarque dans une région très surveillée, un docteur de la ville la plus proche me conduit en voiture jusqu'à une clairière d'où je gagne la ferme sous le couvert des buissons. Cette fois le docteur était à court d'essence. Il a pu seulement m'amener jusqu'à un chemin creux et il est reparti tout de suite. À l'entrée du chemin creux – la soirée était belle – flânait un soldat allemand. Il ne m'a pas vu descendre mais il a vu la voiture venir et repartir.

J'ai dîné chez mon fermier. J'ai mis mes plans à jour. Et je venais de les glisser dans ma poche quand le soldat du chemin creux est entré et m'a fait signe de le suivre. Le sentier était désert. J'ai pensé un instant à lui sauter sur le dos, à l'aveugler, à l'assommer. Mais j'ai eu peur de faire fusiller le fermier. C'est aussi la raison pour laquelle je n'ai pas osé me débarrasser de mes plans. Nous sommes arrivés à un poste militaire. Le soldat m'a conduit chez le lieutenant qui le commandait et a exposé mon cas. Ce lieutenant était brun et je me souviens très bien que ce fait m'a donné de l'espoir. Je préfère les Allemands bruns aux blonds.

— Qu'est-ce que vous faisiez chez ce fermier ? m'a demandé le lieutenant. J'avais eu le temps de préparer ma réponse. J'ai dit que j'étais courtier en assurances agricoles.

— Quelle compagnie ?

— La Zurich, ai-je dit. Je ne l'ai pas dit au hasard. Je ne sais quel mouvement intérieur m'avait prévenu que si un nom de compagnie d'assurance était capable d'intéresser l'officier, et par là de désarmer sa méfiance, c'était bien celui-là. Et en effet, il connaissait la ville de Zurich et je la connaissais. Nous avons parlé de ses jardins, de ses théâtres, de ses musées. Et de la Suisse. Et il m'a laissé partir sans me fouiller.

-:-

Les plans que j'avais levés devaient être remis par moi à un grand bureau d'affaires à Paris, avenue de l'Opéra. Je m'y présente deux jours après, n'ayant pris pour voyager que des petites lignes d'intérêt local. Comme j'allais sonner, la porte s'ouvre d'elle-même. Une main se pose doucement sur mon poignet et m'attire à l'intérieur. Je me trouve en présence de policiers allemands. Depuis le matin le bureau était une souricière.

— Qui êtes-vous ? Qu'est-ce que vous venez faire ? J'invente un motif qui s'accorde avec les opérations normales de l'entreprise.

— Papiers.

Je montre les plus récents qui ont été fabriqués après ma mise en filature par les deux vieillards. L'un des policiers va au téléphone et parle avec un des sièges de la Gestapo. Je comprends l'allemand. Je suis la conversation. À l'autre bout du fil on demande au policier de lire une liste de noms. J'entends celui que je portais il y a seulement dix jours. Le policier revient à moi, me rend mes papiers, me pousse jusqu'à la porte. Je tâche de descendre le plus lentement qu'il m'est possible. Dans la loge de la concierge il me semble voir un homme à lunettes. Je sors, je marche et m'arrête face à une devanture. À quelques pas de moi il y a un homme à lunettes. Je vais jusqu'à une boulangerie que je connais. Elle a une double sortie. Je gagne ainsi quelques minutes. J'aperçois une caserne de pompiers. J'y trouve des gens bien disposés. Ils me cachent dans une voiture à incendie et m'emmènent dans cette voiture chez un brocanteur de la rive gauche, un de nos meilleurs agents. Je lui confie mes plans et je sors le lendemain de Paris en poussant un charreton plein de vieilles chaises.

-:-

Trois fois, coup sur coup, j'ai échappé au pire. Extraordinaire combinaison de probabilités. Un croyant appellerait cette série une suite de miracles. Un joueur de baccara dirait que c'est une bonne main.

-:-

Je me terre dans un tout petit village chez un abatteur clandestin. On lui amène chaque jour un cochon, ou un veau ou un mouton, qu'il saigne, égorge et débite. Il est protégé par toute la population qu'il nourrit de viande à bon compte. Cet homme est un saint du marché noir. Il veut tout juste gagner sa vie. Son plaisir est de jouer les Allemands, de jouer Vichy. Il me nourrit et m'héberge à un prix dérisoire. Il me donne les meilleurs morceaux. Je suis saturé de viande, ce qui est un prodige. L'abatteur clandestin cache également un ancien ministre qui doit partir bientôt pour Londres. Nous jouons aux boules ensemble. Il fait beau. L'air de la montagne est vif. Le temps passe.

-:-

Quand on va, comme nous le faisons, de gîte précaire en gîte précaire, au hasard des complicités, des bonnes volontés ou des poursuites, on passe par des lieux singuliers. La faculté d'étonnement s'émousse. Mais cette fois la mienne est toute réveillée par un nouveau refuge.

C'est un tout petit manoir du XVIIIe siècle, avec les boiseries, les tapisseries, les tableaux et les meubles de l'époque. Autour, des futaies silencieuses. Devant la façade, un étang fleuri de nénuphars. Les allées sont envahies de mousse. Tout semble dormir dans l'enceinte des murs qui s'éboulent aux limites du parc.

Le manoir appartient à deux vieilles dames, deux sœurs qui ne se sont jamais mariées. Elles habitent là depuis trois quarts de siècle. Elles avaient un frère qu'elles adoraient. Il a été tué en 1914. Leurs amis se sont éteints peu à peu. Elles ne connaissent plus personne. La propriété est située loin des routes. Elles n'ont jamais vu un Allemand. Leur nourriture qui consistait en légumes et laitages n'a pas changé. Un antique fermier y pourvoit. Le monde et la vie ont oublié ces femmes.

Mon abatteur clandestin voyait de temps en temps le fermier. Il lui a parlé de moi. Le fermier a parlé de moi à ses maîtresses. Et je suis là.

Le jour je me promène à travers des bois enchantés où les animaux n'ont pas peur de l'homme. Le soir j'écoute chanter les grenouilles, et plus tard, le cri des grands ducs. Aux repas, les vieilles dames, dans un langage exquis, me questionnent sur la guerre. Mais elles ne peuvent pas suivre mes explications. Elles ignorent l'avion, le char d'assaut, la radio, et jusqu'au téléphone. Elles étaient déjà engourdies dans une sorte de léthargie lorsque l'autre guerre a commencé. La mort de leur frère a définitivement arrêté la marche de l'univers. La seule guerre qui, pour elles, soit vraie et vivante c'est la guerre de 1870. Leur père, des oncles, des cousins plus âgés l'avaient faite. Les récits qu'ils en avaient rapportés ont ému les jeunes années de ces deux femmes. Leur haine des Prussiens vient d'une époque où je n'étais pas né.

Une fois, j'ai essayé de peindre aux vieilles dames quelques traits de la résistance. Elles ont hoché leur figure menue et ridée :

— Je vois, je vois, ma sœur, a dit l'une d'elles.

— Ce sont comme des francs-tireurs.

— Mais honnêtes et bien élevés, ma sœur, s'est récriée l'autre.

-:-

Le temps passe. Le temps pèse. Je pense beaucoup au patron. Il pourrait vivre indéfiniment dans un endroit comme celui-ci. Je voudrais avoir son livre. Le seul qu'il ait écrit. Peu de gens le connaissent. Mais quelques savants à travers le monde tiennent J. pour leur égal à cause de ce livre. C'est à cause de ce livre que j'ai voulu le connaître. Il y a longtemps qu'il est mon patron spirituel.

-:-

Le temps passe.

Je me suis amusé à dresser de mémoire la liste des journaux clandestins que je connais.

L'Avant-Garde,
L'Art Français,
Bir-Hakeim,
Combat,
L'École Laïque,
L'Enchaîné du Nord,
L'Étudiant patriote,
France d'abord,
Franc-Tireur,
Le Franc-Tireur Normand,
Le Franc-Tireur Parisien,
L'Humanité,
L'Insurgé,
Les Lettres Françaises,

Libération,
Libérer et Fédérer,
Le Médecin Français,
Musiciens d'aujourd'hui,
Pantagruel,
Le Père Duchesne,
Le Piston,
Le Populaire,
Résistance,
Rouge Midi,
Russie d'aujourd'hui,
L'Université Libre,
Valmy,
La Vie Ouvrière,
La Voix du Nord,
La Voix de Paris,
La Voix Populaire.

-:-

Il y a eu aussi *La Voix des Stalags.*

Au début de l'année 1942, plusieurs prisonniers de guerre parisiens se retrouvent à Paris les uns libérés pour santé précaire et la plupart évadés. Ils parlent de la vie dans les camps et conviennent tous qu'il faudrait diffuser parmi les prisonniers un journal qui combatte la propagande faite auprès d'eux pour le maréchal Pétain et que les Allemands encouragent par tous les moyens.

Les camarades réunis décident d'éditer *La Voix des Stalags.* Ils trouvent le papier et l'imprimeur. Ils rédigent les articles et les informations. Mais sous quelle forme fera-t-on parvenir le journal ? Des commerçants donnent assez de vivres pour composer des centaines de colis qui dissimuleront les feuilles minces. Mais comment faire pour que ces colis ne soient pas fouillés et comment avoir les adresses nécessaires ?

Un membre du Comité résoud les deux problèmes à la fois. Il se rend au bureau du journal *Je suis partout* et raconte à un employé l'histoire suivante :

Il est directeur d'école. Il a mis sur pied un système de collectes régulières parmi ses élèves pour envoyer des cadeaux aux prisonniers. Il a été prisonnier lui-même et, en Allemagne, il a lu avec enthousiasme les campagnes de collaboration à outrance menées par *Je suis partout*. Aussi, voudrait-il faire de la publicité chez les prisonniers pour ce journal.

Le faux directeur d'école est mené avec empressement chez le rédacteur en chef. Il obtient 1 200 adresses dans les différents Stalags, imprimées sur des étiquettes du journal qui travaille pour l'ennemi. Il n'y avait pas de meilleur sauf-conduit pour *La Voix des Stalags*.

-:-

J'ai un nouveau nom et j'ai de nouveau rasé ma moustache. Mes cheveux sont très longs et je porte une vieille pèlerine. Je suis comptable chez un industriel qui occupe une centaine d'ouvriers. Je loge à l'usine. La carte d'identité la plus régulière ne suffit plus maintenant à la police. Pendant ma retraite, la machine de contrôle, la machine à étouffer, s'est terriblement resserrée. À cause des déportations et des réfractaires on exige une carte de travail, un certificat de recensement et un certificat de domicile. Les rafles, les battues n'arrêtent pas. On fouille les tramways, les restaurants, les cafés, les cinémas. On épure des quartiers entiers appartement par appartement. Il est difficile de faire cent kilomètres dans un train sans se voir interrogé par un policier.

Le métier devient infernal. Les femmes vont avoir de plus en plus de travail.

-:-

Loué pour nos contacts un atelier.

Dans cette maison je passe pour un artiste qui vient peindre selon sa fantaisie ou recevoir des camarades.

-:-

Ce matin, j'avais rendez-vous à l'atelier avec Jean-François, Lemasque et Félix. Je ne les avais pas vus depuis des mois. Nous devons fixer beaucoup de choses pour leur maquis. Comme j'arrivais devant la maison, la concierge se trouvait sur le seuil battant avec mollesse un vieux tapis. Me voyant traverser la rue elle s'est mise soudain à frapper frénétiquement sur le paillasson. La concierge n'a jamais été des nôtres, elle ne sait rien de notre activité. Cependant je ne suis pas entré.

-:-

Cette femme m'a délibérément sauvé la vie. Un enchaînement d'une simplicité extrême a conduit à la catastrophe.

En quittant sa région, Jean-François a laissé le commandement à un ancien officier qui a beaucoup d'autorité mais trop d'optimisme et aucun sens de la conspiration. Il a eu besoin de faire parvenir un message à Jean-François et lui a envoyé un agent de liaison. Il a pris un garçon très jeune et sans aucune expérience. Au lieu de l'adresser à un relais, il lui a donné la rue et le numéro de l'atelier. Le garçon, attendant une correspondance de train, s'est endormi. Il a été réveillé par une rafle. On a trouvé sur lui mon adresse. Il n'a pas su inventer l'explication plausible. Souricière. Lemasque, Félix et Jean-François ont été pris. La concierge n'a pensé qu'ensuite à ce moyen d'alarme : le paillasson.

-:-

Nouvelles de Jean-François.

Le commissaire l'interroge dans l'atelier ayant devant lui tous les rapports trouvés sur Jean-François, Lemasque et Félix. Jean-François répond n'importe quoi. Soudain, il mord le commissaire à la main, et si fort qu'il lui arrache un morceau de la paume. Il s'empare des documents, renverse deux inspecteurs l'un sur l'autre et descend l'escalier en rafale. Il m'a fait parvenir les rapports et est retourné au maquis avec mes instructions.

-:-

Nouvelles de Félix.

Sur un bout de papier pelure, Félix avait une adresse d'appartement de secours loué au nom d'une jeune fille et où je me rendais de temps en temps en qualité de protecteur. Cette adresse, Félix l'avait rédigée selon un code à lui. Interrogé, il a su interpréter les signes comme un rendez-vous pris tel jour et à telle heure sur une place publique avec un chef important de la résistance. Il l'a fait avec les hésitations, les détours, les réticences qu'il fallait pour qu'on le crût. Et il a consenti de la même façon à mener deux policiers à ce faux rendez-vous.

Il arrive au milieu de la place. Félix précède les policiers de quelques pas. Un tramway passe. Félix saute dedans, le traverse, sort de l'autre côté, se perd parmi les passants.

Alors il a voulu me prévenir et il s'est rendu à l'adresse de secours. Or, la jeune fille qui l'avait loué était venue entre-temps à l'atelier et les policiers avaient su la faire parler. Félix a été repris.

Il est enfermé ainsi que Lemasque à Vichy, dans les caves de l'Hôtel Bellevue réquisitionné par la Gestapo.

-:-

J'ai vu à l'usine un petit ouvrier qui a passé huit mois sans aucune raison dans le quartier allemand de la prison de Fresnes. Il a deux côtes brisées et il boite pour la vie.

Ce qu'il y a de plus insupportable d'après lui, c'est l'odeur épaisse du pus qui a giclé sur les murs des cellules.

— L'odeur des copains torturés, dit-il.

Je pense à Lemasque. Je pense à mon vieux Félix.

-:-

Nouvelles de Lemasque.

Il a été enfermé dans la même cave que Félix. Il avait des menottes et des fers aux pieds. Félix était considéré comme le plus dangereux. On lui en voulait d'avoir trompé la Gestapo. On l'interroge dès le premier jour. Il ne revient pas de l'interrogatoire. Mais la nuit, à la clarté des ampoules du plafond, Lemasque voit le cadavre de Félix traîné dans le couloir par une corde passée autour du cou.

Félix n'avait plus d'yeux. Félix n'avait plus de mâchoire inférieure. Lemasque l'a reconnu surtout au sommet chauve de son crâne… Félix La Tonsure.

Lemasque a tellement eu peur de subir le même supplice, que tout à coup il *a su* qu'il s'évaderait.

Lemasque réussit (il ne pourra jamais dire comment il y parvint) à défaire le cadenas qui tient les fers à ses chevilles. La nuit vient. De ses mains enchaînées il descelle les barreaux mal fixés du soupirail de la cave, et, les pieds en avant, il se glisse dehors. Le voilà dans les rues de Vichy menottes aux mains. La seule personne qu'il connaisse à Vichy est un employé de ministère qui loge dans un hôtel réquisitionné. Lemasque est venu le voir une seule fois pour obtenir de faux ordres de mission. Dans les rues parcourues par les patrouilles de gardes mobiles et les rondes de la Gestapo, Lemasque, avec ses menottes, se met à chercher l'hôtel. Il faut qu'il l'ait trouvé avant l'aube ou il est perdu. Les heures passent. Lemasque tourne à travers Vichy. Enfin, il pense avoir trouvé l'endroit. Il pénètre dans l'hôtel endormi. Un dernier effort, un effort désespéré de la mémoire pour se rappeler l'étage et la place exacte de la chambre. Lemasque enfin croit se souvenir. Il frappe à la porte. On ouvre. C'est bien le camarade de chez nous.

Le soir, un ouvrier ami vient avec une scie à métaux délivrer Lemasque de ses menottes. J'ai fait confirmer l'histoire par l'employé et par l'ouvrier. Sinon je me serais toujours demandé si Lemasque n'avait pas faibli et inventé cette évasion pour le compte de la Gestapo.

-:-

La résistance sabote, attaque et tue avec abondance et obstination. Avec naturel. Toutes les organisations ont leurs groupes de combat. Les francs-tireurs forment une véritable armée. La densité des cadavres allemands est devenue telle que l'ennemi a dû renoncer au système des otages. Il ne peut plus continuer d'aligner 100 morts français pour un mort allemand. Ou bien il lui faudrait assassiner la France entière. L'ennemi a reconnu ainsi comme publiquement que le pays était au-dessus de la terreur.

Mais la Gestapo travaille terriblement. Elle vise à remplacer les otages par les suspects.

-:-

Je vais faire une réception. Au poste où je suis je ne dois pas m'occuper des opérations de détail, mais nous avons eu des pertes très élevées. Il n'y a plus personne dans le secteur qui sache conduire une mission de ce genre. Mathilde vient avec moi ; elle apprendra le métier. L'équipe se compose d'un propriétaire de taxi, de sa femme, et d'un forgeron de village. Ils nous ont été prêtés par le groupement de Louis H. Je ne les connais pas.

-:-

Nous avons passé sur le terrain une première nuit sans résultat.

Pendant une heure un appareil a tourné au-dessus de nous dans l'obscurité, mais il y avait du brouillard. Le pilote sans doute n'a pu voir les signaux de nos lampes. À l'aube nous nous sommes retirés dans une cabane en planches. Elle appartient au forgeron qui est aussi braconnier et qui l'a édifiée dans un bois situé en lisière de notre terrain. Le taxi est égaré sous les arbres, avec un poste clandestin camouflé. Nous avons échangé des messages avec Londres. L'avion reviendra la nuit suivante.

-:-

Il a plu jusqu'au soir. Nous n'avions rien à manger, rien à boire, et très peu à fumer. J'ai fait bavarder mon équipe.

Le propriétaire de taxi est un ancien mécanicien d'aviation. Dès qu'il a pu entrer en contact avec des gens de la résistance, il a mis à leur disposition son gazogène et sa personne. Il a beaucoup travaillé. Il n'a pas encore eu d'accident. Sa seule aventure est assez particulière.

L'an passé, dans le cinéma principal de la petite ville où il habite, trois Allemands sont tués par une grenade. La Kommandantur fait savoir que les otages seront fusillés. Le commissaire de police français, qui n'appartenait à aucune organisation et qui était simplement un brave homme, va trouver le commandant allemand et proteste que l'incident du cinéma n'est pas un attentat de la résistance, mais qu'il est dû à la colère de soldats revenus de Russie contre d'autres qui n'y ont jamais été. L'officier allemand écoute le commissaire avec attention et lui propose un marché :

— Je vous donne trois jours pour démontrer ce que vous soutenez. Si vous n'y réussissez pas, vous serez fusillé, et avec vous un habitant de la ville qui voudra bien vous servir de garant.

Le commissaire accepte. Il parle de la chose au propriétaire de taxi avec lequel il était lié, sans savoir toutefois que l'autre faisait partie d'une organisation secrète. Le propriétaire de taxi accepte. Deux jours se passent. Au troisième, le commissaire arrive à réunir des preuves indiscutables.

— C'est peut-être bien à cause de cette affaire que je n'ai pas encore eu d'histoire avec la Gestapo, m'a dit le chauffeur de taxi. Ça m'a fait un alibi de première. Vous comprenez. Les Fritz ont dû croire que jamais un clandestin ne risquerait un coup pareil. Mais sur le moment je n'y ai pas pensé, et pendant quarante-huit heures j'ai eu la colique, je vous le jure.

-:-

La femme du chauffeur de taxi a une trentaine d'années. Elle est fraîche, serviable et maternelle. Elle hait les Allemands avec une sorte d'innocence inhumaine. Elle se réjouit des bombes qui tuent les enfants de Rhénanie. « Il n'y a qu'une espèce de bon Boche », dit-elle doucement, « c'est un Boche mort. »

Un soir, au cours d'une mission de reconnaissance dans les parages d'un camp allemand, la femme du chauffeur s'est déchiré le genou contre des barbelés. Elle a mis un mouchoir autour de la blessure qui saignait beaucoup et a gagné la gare la plus proche. Dans le train elle a eu pour voisin un soldat allemand. Le soldat a vu le mouchoir tout rouge. C'était un cœur sensible. Il a voulu à toute force remplacer le mouchoir par son pansement de campagne.

— Pendant qu'il me bandait la jambe je voyais sa nuque, m'a dit la femme du chauffeur.

— Quelle belle place perdue pour un coup de couteau ! Il fallait tout de même que je fasse quelque chose contre lui. Alors, j'ai volé sa torche électrique. Tenez, la voilà. Elle sert pour les signaux.

-:-

Le forgeron braconnier a pour nom – est-ce le vrai ? – Joseph Pioche. La figure couleur de terre cuite. Des yeux petits et rieurs. La bouche des hommes qui aiment la bonne chère et les filles. Sous un air simple, c'est un homme des plus fins et des plus résolus. Il n'aime pas parler de ses histoires. Mais elles sont célèbres parmi les camarades. Le chauffeur de taxi l'a forcé d'en raconter quelques-unes.

Joseph Pioche qui est un opérateur de radio remarquable, avait installé son poste dans une petite maison qu'on avait louée au milieu des champs. Au bout de quelque temps la région était devenue très mauvaise. Des voitures de repérage naviguaient aux alentours. Il fallait changer de milieu, mais Pioche eut à passer, le dernier jour, vingt-deux télégrammes extrêmement importants. C'est très long vingt-deux télégrammes quand la détection vous cerne. Pioche s'est barricadé dans la maison avec ses deux fils bien armés. Ils avaient pour consigne de tenir quoi qu'il arrivât, jusqu'à la fin des messages, mais Pioche a pu passer les vingt-deux télégrammes sans accident.

Il lui en est arrivé un, peu après, à Paris. Il sortait de la gare de Lyon pour aller porter à un camarade de faux cachets et de faux tampons lorsqu'il fut arrêté par des hommes de Doriot qui travaillaient pour le compte des Allemands. On le fait monter en voiture et on l'emmène à Fresnes. Pioche allume une pipe.

— C'est bien la dernière que tu fumes, lui dit l'un des voyous qui l'accompagnent. Pioche fume beaucoup et fume vite. Et chaque fois qu'il met la main dans sa blague à tabac, il retire un tampon ou un cachet et il le glisse sous les coussins de la voiture. Puis il dit :

— Si je dois mourir bientôt, autant vaut manger le poulet que j'ai dans la musette.

Il mord dans une cuisse, il mord dans une aile, et, cependant, ses doigts agiles fouillent la carcasse qui est farcie de cachets, de tampons et les jette avec les os par la fenêtre. Quand il arrive à Fresnes il n'a plus rien de dangereux sur lui. Malgré cela, et pour le faire avouer, on le mène par trois fois devant le mur des exécutions. Il a pleuré d'innocence. À la fin ils l'ont relâché. Ce qui amuse le plus Joseph Pioche dans cette affaire, c'est qu'il avait retrouvé à Fresnes un châtelain qui l'avait fait mettre en prison pour avoir braconné dans ses terres. Ils étaient devenus très amis. L'autre a été fusillé.

-:-

Ces récits nous ont menés sans trop d'ennui jusqu'à l'obscurité. Nous sommes allés au terrain. Cette fois les signaux ont été aperçus de l'avion. Il s'est posé là où il fallait. Les aviateurs anglais qui exécutent ces missions sont de premier ordre. Mais l'appareil était trop lourd pour le terrain détrempé.

Il s'est embourbé au point que les efforts réunis de l'équipage, des passagers qu'il avait amenés et des nôtres n'ont pu arracher l'avion au sol. Alors le pilote anglais a dit avec une confiance magnifique :

— Il faut demander secours au village voisin.

— Venez voir le maire avec moi, lui a dit Joseph Pioche, parce que, seul, il ne me croirait peut-être pas.

Ils sont allés réveiller le maire et ils sont revenus avec tous les hommes du village.

On a dépanné l'avion.

-:-

Lemasque, après son évasion, n'a pris qu'une semaine de repos et s'est remis au travail. On vient de l'arrêter de nouveau. Par chance, il est encore pour l'instant entre les mains de la police française. Mathilde m'a promis qu'elle le sortirait de prison. Toutefois, comme Lemasque savait où j'habite, je change de domicile.

-:-

Une petite maison de fonctionnaire retraité au bord d'un village. Elle est louée par X…, un vieil ami qui, lui aussi se cache sous une fausse identité.

Sa femme est déportée en Allemagne. Leur fils, un garçon de 10 ans, est avec lui. Le soir, à dîner, j'appelle naturellement X. par son vrai nom et lui, naturellement, y répond. Le petit garçon donne un coup de coude à X. et chuchote : « Duval, voyons papa, nous sommes Duval. »

-:-

Mathilde, les cheveux au henné et un coussin sous sa robe, s'est fait passer pour la maîtresse enceinte de Lemasque. On lui a accordé l'autorisation de le voir. L'évasion de Lemasque était assez facile par des complicités intérieures, à condition de se débarrasser d'un personnage assez douteux qui sert de compagnon de cellule à Lemasque. Mathilde avait glissé pour cela une petite fiole. Lemasque a refusé d'empoisonner l'homme qui a toute chance d'être un espion.

-:-

Mathilde a remis à Lemasque du chloroforme. Il a refusé de s'en servir parce qu'il a peur de forcer la dose. Le temps presse pourtant. La Gestapo va réclamer Lemasque. Je pense qu'il se souvient trop de Paul Dounat.

-:-

Ce matin, qui était un matin de dimanche, j'ai eu très peur. Une voiture militaire allemande s'est arrêtée en face de notre maison et un commandant en est descendu. Je me tenais à la fenêtre. (Je passe là une bonne partie de la journée, ne pouvant sortir.) Et bien que je fusse dissimulé par un rideau, j'ai eu un mouvement de recul. Le fils X. qui était en train de jouer dans la chambre a jeté un coup d'œil sur la rue. « Ce n'est rien », me dit-il. « Le commandant de la région vient chaque dimanche chez le bistrot du coin. Il trouve que le meilleur marc du pays est là. Si vous regardez encore un peu vous allez bien rire. Nous allons guetter ensemble. » L'enfant avait l'air mystérieux. Au bout d'une heure j'ai vu le commandant aller dans la cour du café et se rouler dans un tas de fumier. « Ce n'est pas le Boche », m'a dit alors le garçon avec triomphe. « Voilà ce qui se passe. Le commandant boit une bouteille de marc. Quand il est bien ivre il veut à toute force changer de vêtements avec le patron. Et le patron dégoûté va salir l'uniforme boche dans le fumier. » L'enfant riait sans bruit et d'abord j'ai fait comme lui. Mais ensuite je me suis demandé si au fond le commandant ne haïssait pas son uniforme et si, libéré par l'alcool, il ne le faisait pas couvrir d'ordure par procuration.

-:-

La sensibilité des Allemands fait parfois les détours les plus singuliers.

Une jeune infirmière que je connais a eu à soigner un capitaine de S.S. Il lui faisait la cour. Cela rendait la jeune fille furieuse. « J'aime vous voir en colère », disait le S.S. « vous êtes encore plus jolie ainsi. »

« Ce n'est pas difficile », répondait l'infirmière, « je n'ai qu'à voir un Boche. » Et le capitaine était ravi. Mais souvent il disait :

« Je voudrais être un prédicateur à la parole invincible et que tous les Français soient à mes pieds. Et que vous m'embrassiez les genoux. »

-:-

Lemasque a été transféré dans une autre prison. Il y a trouvé un camarade de chez nous très malade et très abîmé par les interrogatoires. Mathilde a organisé une évasion en force le jour où on a mené Lemasque pour la dernière fois de la prison chez le juge d'instruction. Tout était prêt. Nos hommes allaient ouvrir le feu. Mais Lemasque qui donnait le bras à son camarade a fait un signe de tête négatif à Mathilde et a continué à soutenir l'autre qui se traînait avec difficulté. En sortant du Palais de Justice tous les deux ont été livrés à la Gestapo. J'ai eu un mouvement de colère contre Lemasque. Mais sans doute a-t-il trouvé son Legrain ?

-:-

La femme de Félix supplie de travailler pour nous. Elle ignorait tout de l'activité clandestine de Félix. Elle a connu sa fin par un émissaire à nous qui devait lui remettre un secours mais qui avait l'ordre formel de ne donner aucun détail sur l'organisation, aucun relais, aucun point de repère. La femme de Félix a refusé l'argent et s'est mise à pleurer sans cris et en répétant : « Mon pauvre homme. Si j'avais su seulement, si j'avais su. » Elle ne pouvait pas se pardonner d'avoir reproché si souvent à Félix ses absences, sa fainéantise apparente.

J'ignore comment elle a fait pour trouver l'un des nôtres. D'échelon en échelon sa demande est arrivée à Mathilde qui seule connaît mon refuge et me l'a transmise. La femme de Félix sera agent de liaison. C'est l'emploi le plus dangereux mais on a toujours vu les veuves des camarades exécutés accomplir ces missions mieux que quiconque.

Nous prenons à notre charge le petit garçon tuberculeux de Félix.

Cette question des enfants est pesante. Ils sont des centaines et sans doute des milliers à n'avoir plus ni père ni mère. Fusillés, emprisonnés, déportés. Je connais des cas où les enfants ont accompagné jusqu'aux portes des prisons leurs parents arrêtés et ont été chassés du seuil par les gardes. Je connais d'autres cas où les enfants sont restés seuls, perdus dans l'appartement d'où les parents avaient été emmenés. Et d'autres cas où la première pensée de ces enfants a été de rôder autour de leur maison vide pour prévenir les amis de la souricière.

J'ai connu une femme qui faisait passer la frontière d'Espagne aux soldats et aux aviateurs anglais. Elle les prenait un à un, les camouflait en malades, jouait le rôle de l'épouse, présentait leurs papiers, évitait les incidents. Pour parfaire la comédie familiale son fils de sept ans l'accompagnait toujours. Elle a fait cinquante-quatre fois le voyage, puis le manège a été découvert. On l'a fusillée. Le sort de l'enfant est inconnu.

-:-

Lemasque a été mené à la chambre 87. Il s'est évanoui après une demi-heure d'interrogatoire. Il est revenu à lui. Il a avalé une pilule de cyanure.

-:-

Dernière invention des questionneurs de la Gestapo. On fait tourner une fraise de dentiste dans la gencive jusqu'à ce que la molette attaque l'os de la mâchoire.

-:-

J'ai envoyé Mathilde et Jean-François voir un à un nos postes émetteurs. Ou plutôt ce qu'il en reste.

Nous avons une très mauvaise série.

Au début de la résistance, on « pianotait » pour Londres sans trop grands risques. Les Allemands n'étaient pas nombreux pour surveiller les émissions clandestines et n'avaient que peu d'outillage. Mais à ce moment, nous manquions de postes, d'opérateurs expérimentés, de liaisons suivies avec l'Angleterre. Le travail se faisait d'une façon assez désordonnée et primitive. Aujourd'hui nous sommes infiniment mieux équipés et formés. Seulement, comme dans toute guerre, l'ennemi est venu très vite à la parade. Il a un personnel technique de premier ordre et ses voitures de détection, tantôt camionnettes de livraison ou de postes ou de croix-rouge patrouillent, rôdent, fourmillent, espionnent à travers tout le pays.

Il m'est arrivé d'observer une de ces voitures arrivant aux environs de son objectif. Elle allait très lentement, à l'allure d'un homme au pas. Devant chaque maison elle s'arrêtait une seconde et repartait avec une souplesse muette. On sentait qu'à l'intérieur un mécanisme inexorable réduisait mètre par mètre le rayon d'approche. On avait l'impression qu'une bête impitoyable palpait les demeures l'une après l'autre et passait ses tentacules à travers les murs.

Il ne faut pas beaucoup plus d'une demi-heure à une voiture après qu'elle a capté les premières ondes, pour se trouver devant l'endroit exact où opère le poste. Et une demi-heure c'est très court pour prendre les contacts avec Londres et pour passer les messages. Alors on lutte. Pendant que l'opérateur travaille un camarade guette à la fenêtre, un autre camarade se tient dans la rue. Dès qu'il aperçoit la bête qui flaire et tâte, il fait un signe convenu à l'homme de la fenêtre. Celui-ci prévient l'opérateur. C'est un jeu de vitesse et de chance. Dans la dernière semaine il nous a été défavorable.

Ajax a été complètement surpris. Ses guetteurs surveillaient le devant de la maison. La Gestapo est venue par une ruelle à l'arrière. Cette fois la détection était cachée dans une voiture à incendie et c'est en se servant d'échelles de pompier que les policiers allemands sont entrés par la fenêtre. Ajax s'est vengé comme il a pu. Il a demandé à son aide : « Mais qu'est-ce qu'elle fait donc cette bombe à retardement ? » Les agents de la Gestapo ont eu très peur. Ajax en a profité pour détruire son plan d'émission.

Sur l'arrestation de Diamant nous n'avons eu aucun détail. Nous savons seulement qu'au milieu d'un message il a passé soudain à Londres : « Police… police… police… » Et l'émission a été interrompue.

-:-

C'était Achille que j'aimais le plus. Avant la guerre il servait comme garçon dans un restaurant populaire où j'allais quelquefois. Un petit homme assez âgé, brun et doux. Il a très bien appris le métier d'opérateur. Il était très consciencieux et habile. Il avait toujours le temps de transmettre son message. Même quand la voiture de détection était signalée il continuait à pianoter. Il savait s'arrêter juste. Il avait le sens intérieur des secondes. Peut-être parce qu'il était garçon de café. Il a dû se tromper une fois. On l'a fusillé le lendemain du jour où il a été découvert.

-:-

Reçu un rapport sur une famille de Français moyens. Le fils aîné, propriétaire bon vivant, conseiller municipal radical, anime tout un réseau de renseignements. Il a tué dans des coups de main plusieurs Allemands. Il est recherché et sa tête mise à prix. Sa femme se cache dans les bois de la région. Ses deux frères sont chefs de groupe dans le maquis. Le père, que des affaires assez importantes mettent en contact avec les Allemands à Paris, profite de ses relations pour passer armes, courrier, postes émetteurs, et pour obtenir des confidences précieuses. La mère qui sait tout de cette activité approuve.

-:-

Quand un homme de la résistance est pris sur un simple soupçon, il a tout de même quelque chance de ne pas mourir, mais si cet homme est Juif il est certain d'expier de la façon la plus atroce. Malgré cela il y a beaucoup de Juifs dans nos organisations.

-:-

Mathilde a terminé son tour d'inspection par la ferme d'Augustine d'où je suis parti, l'an dernier, pour Gibraltar. L'opérateur, qui est très jeune, avait fait l'imbécile. Sa fiancée passait quelques heures au chef-lieu du département. Il a pris le train pour la voir. Il n'est pas revenu. Il est sûrement tombé dans une rafle et on l'a embarqué, vu son âge, pour l'Allemagne.

Mathilde et Jean-François ont trouvé à la ferme des messages à transmettre apportés par des agents de liaison. Il y en avait une liste et certains étaient urgents. Ils ont étudié le plan d'émission et Jean-François, qui est bon opérateur, s'est mis à pianoter.

Le poste était installé dans l'un des communs d'où l'on pouvait voir un long ruban de la route. Mathilde et Augustine se tenaient près de la fenêtre. Un camion est apparu. Il n'allait pas vite. Il s'est arrêté un instant devant une bergerie abandonnée. « Continuez », a dit Mathilde à Jean-François, « mais attention ». Le camion s'est remis en marche, s'est arrêté devant une grange vide. « Continuez », a dit Mathilde. Le camion grossissait lentement. Jean-François pianotait très vite. Le camion longeait les terres de la ferme. « Encore une seconde et je termine un télégramme », dit Jean-François. « Allez-y », dit Mathilde. Le camion arrivait. « Filez avec le poste dans le bois », a dit Mathilde. Jean-François hésitait, il ne voulait pas laisser deux femmes seules. Les gens de la Gestapo descendaient du camion. « C'est un ordre », a dit Mathilde. Quand les policiers allemands sont entrés dans la ferme, ils ont trouvé deux femmes en noir, silencieuses, qui tricotaient. Après une perquisition de pure routine ils ont fait des excuses.

-:-

La fille d'Augustine, qui a 17 ans, s'est enrôlée chez nous. Il y a longtemps qu'elle voulait le faire. Elle a profité de la visite et de l'autorité de Mathilde pour forcer le consentement de sa mère. Madeleine va être couplée comme agent de liaison avec la femme de Félix qui travaille très bien.

-:-

Quand on demande aux gens qui, sans être d'une organisation, nous aident à cacher des armes, recueillir des camarades, quand on leur demande ce qui pourrait leur faire plaisir, ils répondent souvent : « Faire dire une phrase pour nous à la B.B.C. » Cela leur paraît une récompense merveilleuse.

-:-

Nous avions un relais très sûr à V. Un vieux poste à essence désaffecté depuis l'armistice et tenu par un petit vieux aux yeux larmoyants, d'une fidélité et d'une discrétion exemplaires. On a dû abuser de ses services. La prudence absolue est impossible. Il y a tant de pertes que nous sommes forcés de surcharger ceux qui restent en liberté.

Deux agents de la Gestapo se sont présentés chez le petit vieux. Il les a reçus très doucement et, quand ils lui ont permis d'abaisser les bras, il a pris un revolver sous une pile de chiffons et les a tués. Puis il est sorti et il a appelé le chauffeur de la voiture allemande au secours. Comme l'autre se précipitait, il lui a mis une balle dans la nuque et il s'est enfui dans la voiture de la Gestapo.

-:-

Madeleine et la femme de Félix sont arrêtées. Dénonciation d'un milicien. Mathilde l'a condamné.

-:-

Un de nos agents de renseignements se heurte à une patrouille de quatre soldats allemands dans une zone absolument interdite. Il tire vite et bien. Il les abat tous et puis il se suicide. Il aurait pu s'échapper. Le chemin était libre. Nous l'avons su par le témoignage de deux Allemands qui ont survécu et qu'on nous a transmis. Mais notre ami a eu trop peur d'être pris, torturé et de parler. La dernière balle il l'avait depuis longtemps destinée à lui-même. Il a obéi à un automatisme.

-:-

La crainte de ne pas soutenir les tourments de la question et de livrer les noms et les lieux de rassemblement est chez beaucoup une obsession presque maladive. Nos gens redoutent moins la souffrance et les supplices que leur propre potentiel de faiblesse. Personne ne sait ce qu'il est capable d'endurer. Et l'on tremble à la pensée d'avoir à vivre – même peu de temps – avec le sentiment d'avoir envoyé des camarades à la mort, ruiné un réseau, détruit un travail auquel on s'était attaché plus qu'à la vie. Pour certains, l'appréhension va jusqu'à l'idée fixe. Ils ne s'endorment pas, ils ne se réveillent pas sans elle. Ils tâtent cent fois par jour leur provision de poison. Et ils se tuent avant d'avoir épuisé leurs chances. Car ces chances de vivre sont en même temps des chances de parler.

-:-

Mathilde et Le Bison ont exécuté le milicien qui avait dénoncé la femme de Félix et la petite Madeleine.

-:-

Ma photographie a été communiquée par les soins de la Gestapo à tous les commissariats, à toutes les préfectures, à toutes les gares, aux gendarmeries, aux sûretés diverses. Je l'ai su par un policier qui est des nôtres. Il me conseille de loger chez lui. C'est l'abri le plus sûr pour l'instant.

-:-

Ce policier, qui s'appelle chez nous Leroux, est venu à la résistance par une sorte de choc, de révélation. Il y a une dizaine de mois il fut désigné avec d'autres inspecteurs de police française pour aider à une opération de la Gestapo. Deux voitures amenèrent les agents allemands et français à un P.C. de réseau qui abritait un poste émetteur, un dépôt d'armes et une dizaine de personnes. Les agents de la Gestapo dirigeaient la perquisition. Les Français obéissaient sans parler. Le policier qui, aujourd'hui, me cache, voulut ouvrir le sac que tenait une jeune femme. Elle le lui a jeté au visage en criant : « Boche, sale Boche. » La jeune femme avait une belle figure fine et fragile mais sans peur. « Je ne suis pas un Boche », a dit le policier malgré lui.

— Alors c'est pire, dit la jeune femme.

— J'ai senti que je me cassais de l'intérieur, m'a raconté Leroux, et j'avais les yeux brouillés à cause des larmes.

C'est alors qu'il a *vu* ce qui se passait autour de lui. On mettait des menottes à un officier de l'autre guerre et dont la boutonnière portait les rubans les plus glorieux. L'opérateur radio, un adolescent, avait le visage rompu à coups de matraque parce qu'il avait avalé des papiers. On tordait les poignets à une jeune fille pour lui arracher des aveux.

Leroux n'a plus fait que des mouvements machinaux pendant la perquisition et quand elle a été terminée il a erré à travers la ville sans savoir ce qu'il faisait. Un ami l'accompagnait, un autre policier qui, lui aussi, avait aidé la Gestapo. Cet ami l'a empêché de se tuer.

— Je l'aurais fait, m'a dit Leroux, je l'aurais fait sûrement. Quand je me rappelais ce à quoi depuis deux ans j'avais prêté les mains sans réfléchir, par routine, quand je revoyais tous les braves gens, toutes les femmes de cœur que j'ai mouchardés, arrêtés, donnés aux Boches, il me semblait que j'avais la lèpre… Ce que j'ai pu souffrir !

Il criait tout cela à son ami. L'autre a compris aussi. Il a dit à Leroux : « Ça ne sert à rien de se détruire. On peut essayer de réparer. »

Ils ont approché chacun une organisation différente par l'intermédiaire de prisonniers. Ils ont donné tout de suite de tels gages à la résistance et pris des risques tels qu'on les a enrôlés. L'ami de Leroux, après un travail magnifique, a été brûlé. Il a dû partir en Angleterre avec des chefs de la résistance qu'il a fait évader. Leroux, lui, continue de servir pour notre compte.

-:-

Une pensée ne laisse pas de repos à Leroux. C'est qu'il existe des policiers français dont l'acharnement est égal à celui des Allemands.

— Je suis bien forcé de pardonner, dit Leroux, aux inspecteurs qui font leur métier comme je le faisais par ordre, sans révolte, mais sans zèle. Ils obéissent à Vichy, au maréchal. Ils n'ont pas appris à réfléchir. Mais les autres, ceux qui en remettent, ceux qui travaillent à pleins bras, à plein cœur contre les patriotes. Ceux-là, bon sang… ceux-là…

Et Leroux me parle d'un inspecteur principal à Lyon qui a fait aiguiser le sommet d'un fer de pelle comme un fil de rasoir pour placer dessus, pieds nus, des captifs qui ne veulent pas parler. Et Leroux me parle de la brigade « terroriste » de Paris affectée à la chasse des communistes et dont les agents sont fiers d'avoir plus d'imagination pour les tortures que la Gestapo.

Il y a chez Leroux plus qu'une réaction de simple patriotisme et de simple humanité contre ces gens. Il y a la honte et la colère qu'ils soient du même métier que lui.

Hier il m'a apporté un numéro du journal clandestin des francs-tireurs et partisans *France d'abord* saisi par la police et il m'a lu la note suivante :

— « À Beuvry, Pas-de-Calais, le commissaire de police et plusieurs subordonnés avaient arrêté et torturé de nombreux compatriotes et se vantaient de fusiller les F.T.P[1]. sur place.

« Une punition s'imposait.

« Le 23 mars le maire de Beuvry, ami du commissaire Théry, se vit contraint de conduire dans sa voiture un petit groupe de F.T.P. et de les introduire au

1. Francs-Tireurs et Partisans.

commissariat. Les agents qui voulurent résister furent mis hors de combat. Mais le secrétaire réussit à s'enfuir. Il ne fut donc pas nécessaire de téléphoner au commissaire pour l'appeler. En effet, au bout d'une demi-heure deux colonnes d'agents et de gendarmes avancent au ras des maisons vers le commissariat devant lequel les F.T.P. s'étaient mis en position de combat. Une fusillade s'ouvrit. Le commissaire réussit à blesser un patriote. À ce moment, le fusil mitrailleur du groupe abattit d'une rafale le commissaire, puis d'une autre rafale l'adjudant de gendarmerie Sirven, assassin d'un patriote l'an passé.

« Leurs chefs tués, une quinzaine de policiers et de gendarmes, pris de panique, s'enfuirent. Le petit groupe de F.T.P. se retira emportant neuf revolvers et des papiers intéressants trouvés au commissariat.

« Les policiers vendus aux Boches qui arrêtent et torturent les patriotes doivent savoir que l'exemple de Beuvry sera suivi. »

Je ne pense pas qu'un franc-tireur ou partisan ait pu lire ce compte rendu avec autant de joie que l'inspecteur de police Leroux et avec un tel sentiment de vengeance assouvie.

-:-

L'autre tourment de Leroux est de ne pouvoir aider tous les camarades de la résistance que sa fonction lui fait approcher. Jeunes filles gaullistes mêlées aux prostituées les plus obscènes, aux voleuses, aux meurtrières ; patriotes magnifiques, officiers d'élite, confondus avec les bagnards et traités comme eux ; garçons qui ont été courageux et forts et que la faim et la fièvre réduisent à l'état d'épaves, que la cellule rend fous… Gens qui sur simple demande des Allemands sont livrés à la déportation, au supplice, à la fusillade. Et tous regardent Leroux avec méfiance, avec dégoût. Mais il doit attendre nos ordres et ne peut faire évader qu'un prisonnier sur cent. Et il doit tout de même justifier si peu que ce soit son métier. Il est attaché à la Gestapo. Nous avons besoin qu'il reste à ce poste.

-:-

Il y a parfois pour Leroux quelques compensations. Ainsi, il vient d'écouter pendant deux heures un cours allemand sur la façon de dépister et d'empêcher les parachutages. Or, il va faire une réception de parachutes cette nuit. Une voiture de la police va ramener les colis britanniques.

-:-

La femme de Félix et la petite Madeleine ont été conduites à la chambre 87. On les a déshabillées complètement. Un homme et une femme de la Gestapo (un ménage, croit-on) les ont interrogées leur enfonçant des épingles rougies au feu dans l'estomac et sous les ongles. La femme de Félix et Madeleine ont également subi la fraise de dentiste qui s'enfonce jusqu'à l'os des mâchoires. Elles n'ont rien révélé. Entre chaque supplice elles ont chanté la *Marseillaise*. Cette scène qui semble tirée d'un mélodrame absurde et du dernier mauvais goût est consignée dans un rapport officiel allemand. Leroux m'en a transmis une copie. Il m'a fait également savoir que les deux femmes ont assuré qu'elles ne parleraient pas.

-:-

Cette histoire a ravagé Mathilde. Son visage s'est littéralement noirci. Elle répète sans cesse : « Si je ne tire pas Madeleine de là, Dieu ne me le pardonnerait jamais. » La pensée qu'elle a décidé Augustine à laisser sa fille à la résistance ronge Mathilde. Elle ne pense pas à la femme de Félix. C'est l'image de la petite qui la poursuit. Elle a le même âge que l'aînée de Mathilde dont j'ai vu les traits réguliers et doux sur une photographie.

-:-

Un de mes amis est parti pour Londres. Les Allemands sont venus enquêter chez lui sur son absence. Ils ont emmené son fils, qui a 11 ans, sous le prétexte qu'il avait fait au lycée de la propagande gaulliste. On a mis l'enfant contre un mur blanc avec un projecteur très puissant droit dans les yeux, et on l'a interrogé pendant toute une nuit sur l'endroit où pouvait se trouver son père. L'enfant a répété toute la nuit la même fable. Son père connaissait une autre femme que sa mère et ses parents se disputaient à cause de cela. Sa mère avait chassé son père. « Ces querelles font que je ne suis pas bien élevé et que je parle mal au lycée », a dit le petit garçon contre le mur blanc.

-:-

Mathilde a fait une folie. Elle a essayé d'enlever Madeleine de vive force en pleine rue au moment où elle sortait de la prison pour être conduite de nouveau à la chambre 87. Mathilde avait avec elle Le Bison, Jean-François et trois hommes des groupes de combat. Ils sont tous fanatiques de Mathilde. Ils ont failli réussir, mais une charge de S.S. les a refoulés.

Repli. Poursuite dans les rues. Les nôtres ont gagné les toits. Quartier cerné. Fusillade parmi les cheminées. Plusieurs Allemands descendus mais deux hommes à nous tués. Un autre blessé pris. Mathilde et Jean-François ont pu s'échapper. Mathilde n'a fait qu'aggraver le cas de la petite Madeleine, et pour un simple agent de liaison elle a démoli tout un groupe de combat.

-:-

Leroux m'a montré un journal clandestin que je ne connaissais pas. C'est un journal d'otages. Il s'appelle *Le Patriote du Camp de V.*, un petit torchon de papier rédigé à la main. Il a paru quatre fois. Chacun des quatre numéros est d'une écriture différente. On a fusillé beaucoup au camp de V.

Il y a deux poèmes dans un de ces numéros, écrits par un garçon de 19 ans, un ouvrier. Entre les deux il a été condamné à mort.

Voici le premier :

« Adieu C., mon vieux copain,
À dix-sept ans en pleine ivresse,
Et sans pitié pour ta jeunesse,
Ils t'ont tué, ces assassins.

Sans avoir peur de la camarde,
Tu es tombé avec vaillance
Et le cri de « Vive la France ! »
Fut ton dernier, mon camarade.

Ton beau sourire s'est éteint.
Et nous qui sommes en prison

Pour te venger nous sortirons.
Adieu, mon vieux copain ! »

Voici le second :

Nous sommes tous des communistes
Et pour l'avoir crié bien haut
Nous sommes sur la sombre liste
De ceux qu'on met au poteau.

Oh ! vous qui êtes en liberté,
Oh ! vous nos frères de combat,
Nous sommes toujours à vos côtés,
Pas un de nous ne faiblira.

Pour nous l'heure du trépas s'avance,
La mort déjà nous tend les bras,
Mais nous aurons notre vengeance,
Cette tâche vous appartiendra. »

-:-

Extrait du rapport d'un chef de groupe des Francs-Tireurs et Partisans :

« Un train de permissionnaires boches nous fut signalé comme partant de X chaque soir. Après plusieurs reconnaissances, il fut décidé d'agir. Nos sept hommes étaient exacts à Bois-Mesnil à 20 heures.

« Après la distribution des consignes, nous nous sommes avancés par deux, derrière nos éclaireurs. La voie atteinte et tout étant calme, nous avons disposé le fusil-mitrailleur sur une butte dominant le remblai et laissé passer la patrouille.

« Ensuite j'ai disposé deux guetteurs à distance, reliés à nous par une ficelle traînant sur le ballast pour avertir sans bruit en cas de danger. 21 heures ! Avec trois hommes j'ai commencé à « détire-fonner » la voie (nos clés cette fois étaient bien enroulées de chiffons) en laissant en place quatre tire-fonds afin que puisse passer le train de voyageurs.

« Nous nous sommes couchés dès qu'il a été en vue. Puis dans les six minutes qui nous restaient avant le passage du train boche, nous avons enlevé les derniers tire-fonds, fait glisser le rail vers l'extérieur et replacé dans les trous préparés trois tire-fonds pour le tenir écarté. Nous avons juste fini à temps pour aller prendre position sur le remblai opposé à l'endroit saboté.

« À 21 h 35, le train boche, allant à bonne allure, déraille comme prévu. Nous avons dirigé un feu rapide et nourri de toutes nos armes sur les Boches sortant des wagons les moins démolis et nous sommes repliés rapidement suivant l'itinéraire prévu pour chaque équipe de deux.

« Nous n'avons rencontré personne et les gardes des voies n'ont rien entendu de notre travail.

« Il doit y avoir eu soixante tués et des blessés par centaines. Tous les hommes ont été épatants *mais le matricule 7 308 a été l'objet d'une réprimande pour avoir allumé une cigarette pendant l'attente du train de voyageurs.* »

-:-

Les chefs de toutes les organisations liées entre elles ont décidé de se réunir. Le patron demande que je vienne. Leroux me supplie de ne pas faire ce long voyage. Il dit que mon signalement est partout et que je suis en tête de liste parmi les gens recherchés.

C'était fatal. Je suis le plus ancien parmi les camarades qui survivent.

-:-

Pour mener la Gestapo à l'emplacement d'un poste émetteur qui n'a jamais existé, Le Bison s'est fait conduire de nuit en voiture par un itinéraire que nous avions reconnu à l'avance. Une chaîne était tendue entre deux arbres dans un chemin étroit. Les phares « défense passive » ne l'ont pas décelée à temps. L'automobile, plein moteur, a donné contre la chaîne. Mathilde et Jean-François ont nettoyé les Allemands à la mitraillette. Le Bison a un bras cassé mais il s'en remettra.

-:-

Je suis allé à la réunion de la résistance. Leroux m'accompagnait avec un mandat d'amener. J'étais le prisonnier de Leroux. Sauf-conduit idéal.

-:-

Dans trois gares nous avons rencontré des convois de déportés réfractaires. Ces jeunes hommes avaient des menottes, des fers aux pieds, le crâne rasé. Les uns agitaient leurs mains enchaînées et criaient : « Volontaires !… Volontaires !… » Les autres chantaient la *Marseillaise* en scandant le chant du bruit de leurs entraves secouées.

-:-

La réunion a duré longtemps. Quand elle a été achevée le patron m'a dit :

— Nous sommes quatorze ici. Chacun en venant a pris un risque mortel. Je ne suis pas sûr que les résultats pratiques le justifient. Peu importe. La France souterraine a tenu concile au mépris de la terreur. Cela valait la peine.

Et Saint-Luc (j'aime à l'appeler intérieurement par le nom que lui donne son frère) Saint-Luc m'a dit encore :

— Nous sommes seulement quatorze, mais combien différents ! Regardez M. et sa figure inspirée, ravinée et un peu secrète comme les peignait de Vinci. Regardez le cou violent de B. et ses yeux de passion. Regardez la façon obstinée dont J. suce sa pipe. Regardez les mains dures, les mains terribles de R. Regardez comment A. essuie avec timidité son binocle. Vous avez entendu leurs propos. Pour les uns l'objet unique est la guerre contre l'Allemand. D'autres pensent déjà aux problèmes des classes et de la politique après la guerre. Et d'autres songent déjà à l'Europe et aux rêves fraternels du monde. Mais il a été parlé de tout avec amitié. Cela valait la peine.

Et Saint-Luc a ajouté :

— Nous sommes seulement quatorze, mais nous sommes portés par des milliers et sans doute par des millions d'hommes. Pour nous protéger, des groupes de combat veillent sur tous les accès qui mènent à cette retraite. Et se feront tuer avant que de laisser arriver jusqu'à nous. Cependant, personne ici n'a l'orgueil ni même le sentiment de la puissance. Nous savons que nos soldats changent cent fois de nom et qu'ils ne possèdent ni abri ni visage. Ils vont en secret dans des chaussures informes sur des chemins sans soleil et sans gloire. Nous savons que notre armée est famélique et pure. Qu'elle est une armée d'ombres. L'armée miraculeuse de l'amour et du malheur. Et j'ai pris conscience ici que nous étions seulement les ombres de ces ombres et le reflet de cet amour et de ce malheur. Cela surtout, Gerbier, valait la peine.

-:-

Rentré chez Leroux. Je fais prévenir les nouveaux qui veulent entrer dans l'organisation qu'ils ne doivent pas compter sur plus de trois mois de liberté, c'est-à-dire de vie. Cela n'empêchera rien sans doute, mais c'est plus honnête.

6

UNE VEILLÉE DE L'ÂGE HITLÉRIEN

Le soldat allemand cessa de marcher dans le corridor et colla son visage casqué contre le carré découpé dans la porte. Parmi les condamnés à mort, Gerbier seul fit attention à ce morceau de métal, de chair et de regard qui avait bouché l'orifice. Il était le seul à ne pas concevoir que la vie fût achevée. Il ne se sentait pas en état de mort.

Les yeux du soldat allemand rencontrèrent les yeux de Gerbier.

— Il ne semble pas avoir peur, pensa le soldat.

Les autres condamnés étaient assis en rond sur les dalles nues et conversaient à voix basse.

« Eux non plus, pensa le soldat. Pourtant c'est au matin. »

Le soldat se demanda un instant comment il se serait comporté s'il n'avait eu que deux heures à vivre. Il se demanda aussi ce qu'avaient pu faire ces hommes. Puis il bâilla. La garde était longue. Il valait mieux arpenter le couloir jusqu'à l'exécution. C'était la guerre, après tout.

Gerbier ramena son regard sur ses camarades aux pieds enchaînés comme lui. La chambrée de l'ancienne caserne française avait des murs d'un gris livide. La mauvaise lumière électrique donnait la même teinte aux condamnés.

Outre Gerbier ils étaient six. Celui qui parlait au moment où Gerbier recommença d'écouter distraitement leurs propos avait un accent breton prononcé. Son extrême jeunesse ne se découvrait que par des intonations encore naïves. Mais sa figure, simple de lignes et si fruste qu'elle semblait taillée dans du buis, n'en montrait aucune trace. Elle était figée dans une sorte d'incrédulité pesante. Les yeux saillants portaient l'expression immobile d'un homme qui a été blessé par des images dont il ne peut plus se défaire.

— C'est la deuxième fois que je dois être fusillé, disait le garçon. La première n'a pas été la bonne parce que j'avais seulement quinze ans alors. C'était à Brest et pour des mitrailleuses que des soldats français partant pour l'Angleterre avaient dû laisser. Nous, on ne voulait pas qu'elles aillent aux Boches. On les a enterrées. Un postier nous a vendus. Il a eu un couteau dans les épaules, mais douze copains un peu plus vieux que moi ont été exécutés. Vu mon âge, on a changé le jugement à la dernière minute et j'ai été pris en Allemagne comme prisonnier civil. Je n'ai jamais su à combien de temps j'ai été condamné. On vivait, on crevait, sans rien savoir. Pendant les trente mois que j'ai passés avant de m'évader, je n'ai pas reçu un colis, pas une lettre. Chez moi ils n'ont pas eu l'idée de ce que j'étais devenu. Ma mère, elle en est restée dérangée de la tête.

« Dans ces prisons civiles, il y avait de tout. Des Autrichiens, des Polonais, des Tchèques, des Serbes, et puis naturellement beaucoup d'Allemands. On avait faim… On avait faim !… Pour se couper l'appétit, les gens fumaient des brins de paille qu'ils retiraient de leur paillasse et qu'ils hachaient dans un bout de papier journal. Je n'avais jamais fumé. J'ai bien été forcé de m'y mettre… J'avais si faim ! »

Gerbier tendit à ses compagnons un paquet de cigarettes à demi plein. Chacun en prit une et chacun l'alluma sauf le plus vieux, un paysan au poil gris et dur comme les soies des sangliers. Il mit sa cigarette derrière l'oreille et dit : « Je la garde pour tout à l'heure. » On comprit qu'il voulait dire l'heure de l'exécution. Le soldat allemand sentit l'odeur du tabac dans le couloir mais il ne dit rien. C'était lui qui avait vendu à Gerbier son paquet de cigarettes.

— Quand on était pris à fumer cette paille on était puni de vingt-cinq coups de bâton, dit le jeune Breton aux yeux saillants. Mais comme on était puni pour n'importe quoi, pour rien, on pensait : un peu plus, un peu moins… et on fumait quand même.

« Les coups de bâton c'étaient les autres prisonniers qui étaient obligés de les donner. Ils vous mettaient le dos à nu et ils frappaient. Les gardiens comptaient les coups. Si les copains n'allaient pas assez fort, ils y passaient à leur tour. Pour les peines de mort – et il y en avait… il y en avait tout le temps… c'était le même système. On choisissait les copains, les meilleurs copains du condamné pour le pendre. Mais il n'était pas accroché à la potence aussitôt condamné. Entre les deux, il se passait des jours et souvent des semaines… On ne savait rien, je vous dis. La potence était là, dans la cour, toute prête… Les condamnés – on leur peignait une grande croix noire dans le dos et sur les genoux –, ils continuaient à travailler… Et puis un beau matin, on nous rangeait en carré autour de la potence et quatre copains faisaient les bourreaux pour un malheureux. Les autres condamnés avec leur croix noire, ils attendaient leur jour sans savoir lequel. Faut avoir vu leurs yeux pour comprendre…

« Une fois, c'est un Polonais qui a été pendu. Ses quatre amis, des Polonais aussi, avant de lui passer la corde au cou se sont mis à genoux devant lui pour demander pardon. Il leur a fait le signe de croix sur chacun et ils se sont embrassés. Faut l'avoir vu pour le comprendre…

« On jetait les corps dans une fosse commune et on mettait de la chaux vive par-dessus. C'était toujours nous autres qui le faisions. Il n'y avait pas que les condamnés à enterrer… Il y avait les morts de faim, de maladie… Et puis il y avait ceux qui ne pouvaient plus vivre de cette façon. Ceux-là, ils marchaient sur une sentinelle. La sentinelle faisait des sommations. Les gens ne s'arrêtaient pas, la sentinelle tirait. »

Le jeune Breton au visage de buis renifla. Il n'avait pas de mouchoir.

— Mais le plus terrible dans ma tête ce ne sont pas les morts, dit-il. C'est un soir qu'on m'a changé de cellule et qu'on m'a mis avec un pauvre vieux tout blanc de cheveux et de barbe. Ce vieux-là, en me voyant, il s'est ratatiné dans un coin et il s'est mis les mains devant la figure comme si j'allais le frapper. J'ai cru d'abord qu'il était fou… Il y avait beaucoup de fous… Mais non, il avait bien sa raison. Seulement il était juif. Et alors, les Allemands… les prisonniers allemands, je veux dire (parce que les gardiens je n'en parle pas) ils le battaient, ils le traînaient par la barbe dans la cellule, ils cognaient sa vieille tête blanche contre les murs. Des prisonniers à un autre prisonnier… À un pauvre vieux…

Le voisin de Gerbier eut un tressaillement nerveux. Il était petit, brun, avec des yeux mobiles et mélancoliques.

« Un Juif », pensa Gerbier.

Il ne connaissait pas ses compagnons. On les avait réunis pour la dernière veillée seulement.

— Alors, quand je me suis évadé et que, au bout de quelques mois, ils ont voulu m'envoyer travailler en Allemagne, je me suis défendu avec un couteau, dit sans changer d'expression le garçon, qui avait dix-huit ans. Et me voilà… Cette fois, c'est la bonne… J'ai l'âge…

Le paysan avec la cigarette sur l'oreille demanda :

— Tu en as saigné beaucoup, fils ?

— Je n'ai pas eu le temps, dit le Breton.

— Ben, moi j'ai fait ma bonne part, dit le paysan.

Ses lèvres semées de poils durs et gris se retroussèrent. Il ne riait pas. Il ne souriait pas. Cela ressemblait davantage au mouvement des babines qui expriment le contentement chez les chiens de chasse. Les dents du paysan étaient noires et solides.

— Si j'allais à confesse, dit-il, faudrait bien avouer que mon idée elle n'est pas venue toute seule. Le hasard m'a été un bon compère.

Le paysan cligna de l'œil et se frotta les mains comme s'il parlait d'un marché avantageux.

— Mon bien est situé contre une grande route. Des Fritz avaient leur cantonnement dans les environs. Il en venait tout le temps chez moi pour demander si j'avais quelque chose à boire. Je leur en vendais, et cher... Toujours ça de pris… Ils ne venaient que un à un parce que c'était défendu et ils se méfient toujours des camarades. Et puis, voilà qu'un soir, il y a un sous-officier à demi saoul qui ne voit pas la trappe ouverte de la cave et qui tombe dedans. Elle est profonde, ma cave… Le Fritz s'est bien cassé la nuque. Je descends, je le trouve mort. Je ne veux pas avoir d'histoire et je l'enterre dans la cave même… C'est peut-être bien ce cadavre qui m'a fait travailler la tête… Je n'en peux rien dire, à coup sûr, mais, voilà, quelques jours plus tard la trappe était encore ouverte quand un Fritz est entré. Il a bu lui aussi un verre de trop et il est tombé aussi… Seulement, à ce coup-là, je l'avais un peu aidé. Et je l'ai enterré près du premier… Et puis, il y en a eu un autre… et un autre… Je tenais le compte. Il a monté jusqu'à dix-neuf… À la fin, j'allais trop vite… Je ne pouvais plus me tenir… Elle m'appelait, cette trappe. Un Fritz qui disparaît tous les mois, ça peut passer. Mais deux ou trois par semaine, ça ne se comprend plus, il faut bien le dire. La Kommandantur a fait des recherches. Ils ont fini par regarder dans ma cave. Et le fond de ma cave, il avait trop monté, ce fond… Il y avait trois épaisseurs de Fritz. Alors, je suis là… J'ai fait ma bonne part. »

Le paysan eut de nouveau ce mouvement des lèvres qui rappelait l'expression des chiens de chasse satisfaits.

Gerbier pensa : « Il faudrait le prendre pour nos groupes de combat. » Et il pensa presque en même temps : « Mais il sera fusillé dans quelques minutes. » Et presque en même temps une voix intérieure dit en Gerbier : « Et moi aussi… » Mais Gerbier ne reconnut pas cette voix. Elle n'était pas la sienne. Et il ne put la croire.

Cependant, un troisième condamné parlait déjà. Gerbier comprit que chacun d'eux écoutait ses compagnons avec indifférence et seulement par courtoisie. Chacun n'avait qu'un désir, une hâte : délivrer l'essentiel de son être avant de mourir.

— J'ai fait ma part aussi, quoique je n'aie pas encore vingt ans, disait le condamné qui avait pris son tour de parole.

Chez lui la jeunesse éclatait dans le feu de la voix, dans la vie du visage, et jusque dans la petite moustache brune et tendre qui avait poussé en prison. Le front bombé, les épaules solides, il avait l'air d'un bouvillon.

— Je suis Lorrain de Lorraine annexée. Je suivais des cours à l'Université quand les Boches ont annoncé que ma classe serait mobilisée six mois plus tard dans l'armée allemande. Je n'ai pas hésité une seconde, vous pensez bien. J'avais le temps de passer la Noël chez moi et de partir. On a fait un très beau réveillon. Je ne sais comment ma mère s'était procuré une oie. Mon père avait sorti les dernières bonnes bouteilles. J'avais un peu le cafard de les laisser sans les prévenir. À la fin du repas mon père m'a embrassé et emmené jusqu'à la porte. Il l'a ouverte. Et il m'a dit : « Nous connaissons ton devoir. » Ma mère m'a donné une valise qu'elle avait préparée, et de l'argent. Au matin, j'ai passé la frontière française. À ce moment j'ai pensé : « Mon vieux, avec des parents pareils, tu ne peux pas mener une petite vie bien tranquille et attendre qu'on gagne la victoire pour toi. » À Paris, j'ai cherché à me rendre utile. J'ai connu un groupe de jeunes épatants. J'ai travaillé dans un journal de pensée libre. Il faut vous dire que je voulais être écrivain dans la vie. Eh bien, j'ai pu l'être… et dans une époque historique comme il n'y en a jamais eu. Dans cent ans, dans mille ans, on relira ces journaux, vous verrez… »

Gerbier considéra un instant les joues colorées d'un sang si vif qu'il était plus fort que la lumière misérable et que les reflets des murs d'un gris livide.

« Ce garçon a du tempérament », pensa Gerbier. « Il doit écrire dans l'*Étudiant Patriote* ou dans *Les Lettres Françaises.* »

Un autre condamné parlait. Un homme très mince de taille et très fin de traits. Bien qu'il fût assis à la turque, son torse était parfaitement droit comme une cuirasse. Il avait des yeux lumineux et une voix d'une singulière netteté.

— Ce n'est pas une action délibérée qui me vaut d'être parmi vous, Messieurs, dit-il. Malgré les sentiments que je pouvais avoir, je n'ai pas osé prendre parti contre le maréchal. Je n'étais pas assez sûr de mon intelligence. Mon confesseur – et j'ai toujours suivi ses conseils – m'a proposé d'attendre pour voir plus clair en moi. J'avais un petit château et des terres. J'avais quatre enfants. J'ai vécu pour eux. Non, je n'ai pas agi, mais je ne pouvais pas refuser aux persécutés le droit d'asile. J'ai eu chez moi des Anglais et des prisonniers évadés, et des patriotes en fuite, et des enfants juifs.

Le voisin de Gerbier agita nerveusement la tête.

— « On a fini par m'arrêter. Pendant l'instruction j'ai pu voir ma famille. Les enfants, d'abord, ne m'ont pas reconnu. J'étais sale, j'avais une barbe d'une semaine et j'étais déjà vêtu comme un brigand. Quand je les ai embrassés ils avaient peur. Ils demandaient des yeux secours à leur mère. Enfin, l'aînée qui avait sept ans, et qui allait à un cours de petites filles, m'a demandé : « Papa, ce n'est pas vrai que vous avez très mal agi contre le maréchal ? » Pour la première fois de ma vie, je n'ai pas su répondre à cette enfant. En classe on leur faisait tellement aimer le maréchal. Et le maréchal m'a tenu enfermé au droit commun pendant deux ans dans l'ancienne zone libre et quand les Allemands ont occupé cette zone, le maréchal m'a livré à eux. J'ai pardonné à tous mes ennemis. C'est à l'égard du maréchal que j'ai eu le plus de peine à me montrer chrétien. »

L'homme aux yeux mobiles et mélancoliques assis près de Gerbier se mit à parler avec tant de précipitation que les mots semblaient s'achopper les uns aux autres. Gerbier se demanda si c'était à cause d'une impatience de race ou simplement parce que le temps pressait.

— Je suis rabbin, dit le voisin de Gerbier, rabbin dans une grande ville. À cause de cela, les Allemands m'ont affecté à la commission chargée de dépister les Israélites qui n'ont pas voulu se déclarer. Vous me suivez ?... Il y a cinq personnes dans ce genre de commission, deux Allemands, deux Français catholiques et un Français israélite. J'étais celui-là. Vous me suivez ?... Chaque semaine on faisait passer devant nous des hommes et des femmes que les autorités d'occupation soupçonnaient d'être Israélites, et nous devions dire s'ils l'étaient ou pas. Un Israélite et surtout un rabbin a plus de chance qu'un autre de reconnaître ses coreligionnaires. Vous me suivez ?... Les Allemands le pensaient bien. Et ils m'avaient prévenu. La première fois où je dirais non quand eux pourraient prouver que c'était oui je serais fusillé. Vous me suivez ?... Seulement, si je disais oui, les gens étaient déportés en Pologne pour y mourir. Jolie situation pour un rabbin...

Le voisin de Gerbier inclina vers les dalles son visage avec une expression navrée et presque fautive. Il soupira :

— J'ai toujours dit non… Alors, me voilà…

Le sixième condamné continuait de tenir une main pressée contre la partie gauche de son visage. Il y manquait un œil et la chair en était comme ébouillantée.

— Je suis communiste, et par-dessus le marché prisonnier évadé, dit-il. Quand je suis revenu, je n'ai retrouvé ni ma femme, ni ma sœur, ni leurs mômes. Personne ne savait rien. Voilà ce qui s'était passé : ma sœur, elle est mariée à un député du parti. Il était en prison. Ma sœur s'est mise à réunir des sous chez les camarades pour lui envoyer des colis. Un beau jour elle apprend que la femme d'un autre député a été arrêtée pour ce crime-là. Ma sœur, elle n'a jamais été bien forte des nerfs. Elle a perdu la tête. Et comme elle habitait ensemble avec ma femme, l'affolement a pris ma femme aussi. Alors elles sont parties se tapir dans un coin. Mais elles n'avaient pas d'endroit pour. Elles avaient peur de tout le monde. Et aussi elles ne voulaient faire de tort à personne. Elles ont fini par trouver une baraque abandonnée dans les champs. Elles n'en sortaient que la nuit pour chercher des pommes de terre qu'elles déterraient. Et puis, elles mangeaient des racines. Elles sont restées des mois sans pain, sans feu, sans linge, sans savon. Et les mômes aussi. Deux à moi, un à ma sœur. Quand j'ai fini par mettre la main dessus c'était beau à voir, je vous jure… Maintenant elles sont bien, chez des camarades.

L'homme serra brusquement les dents et grommela :

— Saleté d'œil… Ce qu'il peut me faire souffrir…

Il respira profondément et continua d'une singulière voix blanche :

— Et moi, on ne saura jamais ce que je suis devenu. La Gestapo n'a pas réussi à m'identifier. Je serai fusillé sous un faux nom.

L'homme se tourna instinctivement vers Gerbier et les autres l'imitèrent. Gerbier était décidé à garder le silence. Il sentait qu'il n'était pas accordé intérieurement à ses compagnons. Il n'avait rien à leur confier. Et ils n'avaient aucune curiosité de ses confidences.

S'ils l'interrogeaient des yeux c'était simple politesse. Pourtant Gerbier lui aussi parla :

— Je ne voudrais pas tout à l'heure me mettre à courir, dit-il.

Personne ne comprit. Gerbier se souvint que ces condamnés étaient tous des isolés dans la résistance ou des étrangers à la ville.

— Ici, dit Gerbier, on fusille à la mitrailleuse et au vol. Je pense qu'ils le font pour s'entraîner... À moins que ce ne soit un divertissement... On vous lâche, vous prenez votre élan, vous faites une vingtaine, une trentaine de mètres. Alors feu... C'est un bon exercice de tir sur silhouettes mobiles. Je ne veux pas leur donner ce plaisir.

Gerbier sortit son paquet de cigarettes et distribua par moitié les trois qui restaient.

— Personne ne voudra courir, dit l'étudiant.

— Ça ne sert à rien, dit le paysan.

— Et c'est vraiment perdre la face, dit le châtelain.

Le morceau de casque, de chair et de regard boucha l'orifice de la porte. Le soldat allemand cria quelques mots à Gerbier :

— Il demande qu'on se dépêche de fumer, traduisit Gerbier. On vient nous chercher dans un instant. Il ne voudrait pas avoir d'ennuis.

— On a les ennuis qu'on peut, dit le communiste en haussant les épaules.

L'étudiant était devenu très pâle. Le châtelain se signa. Le rabbin se mit à chuchoter des versets hébraïques.

— Cette fois est la bonne, dit le Breton de dix-huit ans.

Gerbier souriait à demi. Le paysan prit lentement la cigarette qu'il avait sur l'oreille…

7

LE CHAMP DE TIR

La partie centrale de la vieille caserne était reliée au champ de tir par un très long corridor voûté. Les sept condamnés s'y engagèrent un à un, encadrés par des soldats d'une formation de S.S. Gerbier se trouvait à peu près au milieu de la file. L'étudiant marchait en tête et le paysan était le dernier. Les condamnés avançaient lentement. Ils portaient toujours leurs fers aux pieds. Le corridor n'avait pas d'ouverture sur l'extérieur. Des ampoules piquées à intervalles réguliers l'éclairaient d'une lumière confuse. Les ombres des condamnés et celles de leurs gardiens en armes formaient une escorte géante et vacillante sur les murs. Dans le silence sonore du couloir, les pas bottés des soldats faisaient un bruit sourd et profond et l'on entendait en même temps cliqueter les chaînes des condamnés et grincer leurs fers.

— Cela compose une sorte de symphonie, se dit Gerbier. Je voudrais que le patron pût l'entendre.

Gerbier se souvint de l'expression qu'avait Luc Jardie lorsqu'il parlait de la musique. Et Gerbier fut comme ébloui de rencontrer dans le corridor voûté ce visage. Les chaînes cliquetaient. Les fers grinçaient.

C'est vraiment curieux, se dit Gerbier. Nos entraves me font songer au patron. Sans elles… peut-être.

Et soudain, Gerbier pensa :

« Je suis un idiot. »

Il venait de savoir que toute image et toute sensation l'auraient ramené à cet instant à Luc Jardie par un détour imprévu et inévitable.

« Le mot aimer a un sens pour moi seulement quand il s'applique au patron. Je tiens à lui plus qu'à tout », se dit Gerbier. Mais ce fut alors qu'une réponse lui vint de ses viscères : « Plus qu'à tout et moins qu'à la vie. »

Les ombres dansaient, les entraves gémissaient.

Saint-Luc est ce que j'aime le plus dans la vie, mais Saint-Luc disparaissant je voudrais tout de même vivre.

Les ombres... le bruit des chaînes… Gerbier réfléchissait de plus en plus vite.

« Et je vais mourir… et je n'ai pas peur… c'est impossible de ne pas avoir peur quand on va mourir… C'est parce que je suis trop borné, trop animal pour y croire. Mais si je n'y crois pas jusqu'au dernier instant, jusqu'à la plus fine limite, je ne mourrai jamais. Quelle découverte ! Et comme elle plairait au patron. Il faut que je l'approfondisse… Il faut... »

À ce point la méditation fulgurante de Gerbier fut rompue d'un seul coup. Au premier instant, il ne comprit pas la cause de cet arrêt. Puis il entendit un chant qui emplissait tout le volume sonore du couloir. Puis il reconnut ce chant. *La Marseillaise.* L'étudiant avait commencé. Les autres avaient repris aussitôt. L'étudiant, le rabbin, et l'ouvrier avaient de belles voix pleines et passionnées. C'étaient elles que Gerbier entendit le mieux. Mais il ne voulait pas les écouter. Il voulait réfléchir. Ces voix le gênaient. Et surtout, il ne voulait pas chanter.

« *La Marseillaise*... cela se fait toujours dans un cas pareil », se dit Gerbier. Pour un instant il retrouva son demi-sourire.

La file des condamnés avançait lentement. Le chant passait au-dessus de Gerbier sans l'entamer.

« Ils ne veulent pas penser, et moi je veux… » se disait-il. Et il attendait avec une impatience sauvage que les strophes connues fussent épuisées. Le corridor était long.

« J'aurai encore du temps à moi », se dit Gerbier. *La Marseillaise* s'acheva.

« Vite, vite, il faut creuser ma découverte », pensa Gerbier. Mais la voix forte et pure de l'étudiant s'éleva de nouveau. Et cette fois Gerbier se sentit pris et noué à l'intérieur comme par une main magique. *Le Chant du Départ* avait toujours agi de cette façon sur lui. Gerbier était sensible à ses accents, à ses paroles. Il se raidit. Il ne voulait pas faire comme les autres. Il avait un problème essentiel à résoudre. Pourtant il sentit la mélodie sourdre dans sa poitrine. Il serra les dents. Ses compagnons chantaient...

Un Français doit vivre pour elle…
Pour elle un Français doit mourir…

Gerbier serra les dents plus fort parce que ces vers chantaient déjà dans sa gorge. Allait-il se laisser emporter ?

« Je ne céderai pas… je ne céderai pas… se disait Gerbier. C'est l'instinct du troupeau… Je ne veux pas chanter comme je ne veux pas courir devant les mitrailleuses. »

Ce rapprochement aida Gerbier à contenir le chant prêt à s'échapper de lui. Il eut le sentiment d'avoir vaincu un danger intérieur.

La file entravée arriva enfin devant une petite porte ménagée dans l'épaisseur du mur qui était sur la gauche. Les ombres s'arrêtèrent de danser. Le grincement des chaînes se tut. Et aussi le chant. Une sentinelle ouvrit la porte. Une clarté naturelle se répandit sur un morceau du corridor. L'étudiant reprit *La Marseillaise* et les condamnés pénétrèrent l'un derrière l'autre dans l'enclos de leur mort.

C'était un champ de tir militaire classique. Un rectangle nu et fermé de murailles assez hautes. Contre le mur du fond et séparée de lui par un espace étroit, on voyait la butte destinée à porter les cibles. Quelques vieux lambeaux de toile et de papier tremblaient sur ses flancs à la brise aiguë du matin. La lumière était nette et triste. Un à un les condamnés cessèrent de chanter. Ils venaient d'apercevoir, à quelques pas, des mitrailleuses. Un lieutenant de S.S., très maigre, le visage minéral, qui commandait le peloton d'exécution, regarda sa montre.

— Exactitude boche, grommela l'ouvrier communiste.

L'étudiant aspirait de toutes ses forces l'air frais et tirait sur sa petite moustache.

— Je ne veux pas courir… je ne veux pas… se disait Gerbier.

Les autres, comme fascinés, ne quittaient pas du regard le lieutenant de S.S. Il cria un ordre. Des soldats donnèrent un tour de clé aux cadenas des fers qui tombèrent avec un bruit sourd sur le sol. Gerbier frémit de se sentir d'un seul coup si léger. Il eut l'impression que ses jambes étaient toutes neuves, toutes jeunes, qu'il fallait les essayer sans attendre, qu'elles demandaient du champ. Qu'elles allaient l'emporter à une vitesse ailée. Gerbier regarda ses compagnons. Leurs muscles étaient travaillés par la même impatience. L'étudiant surtout se maîtrisait avec peine. Gerbier regarda l'officier de S.S. Celui-ci tapotait une cigarette sur l'ongle de son pouce droit. Il avait des yeux glauques, murés.

« Il sait très bien ce que veulent mes jambes, pensa brusquement Gerbier. Il se prépare au spectacle. »

Et Gerbier se sentit mieux enchaîné par l'assurance de cet homme qu'il ne l'avait été par ses fers. L'officier regarda sa montre et s'adressa aux condamnés dans un français très distinct.

— Dans une minute vous allez vous placer le dos aux mitrailleuses et face à la butte, dit-il. Vous allez courir aussi vite que vous pourrez. Nous n'allons pas tirer tout de suite. Nous allons vous donner une chance. Qui arrivera derrière la butte sera exécuté plus tard, avec les condamnés prochains.

L'officier avait parlé d'une voix forte, mécanique et comme pour un règlement de manœuvre. Ayant achevé, il alluma sa cigarette.

— On peut toujours essayer... On n'a rien à perdre..., dit le paysan au rabbin.

Ce dernier ne répondit pas, mais il mesurait des yeux avec avidité la distance qui le séparait de la butte. Sans le savoir davantage, l'étudiant et le jeune Breton faisaient de même.

Les soldats alignèrent les sept hommes comme l'officier l'avait ordonné. Et ne voyant plus les armes, sentant leur gueule dans son dos, Gerbier fut parcouru d'une contraction singulière. Un ressort en lui semblait le jeter en avant.

— Allez... dit le lieutenant de S.S.

L'étudiant, le rabbin, le jeune breton, le paysan, se lancèrent tout de suite. Le communiste, Gerbier et le châtelain ne bougèrent pas. Mais ils avaient l'impression de se balancer d'avant en arrière comme s'ils cherchaient un équilibre entre deux forces opposées.

« Je ne veux pas... je ne veux pas courir... » se répétait Gerbier.

Le lieutenant de S.S. tira trois balles de revolver qui filèrent le long des joues de Gerbier et de ses compagnons. Et l'équilibre fut rompu... Les trois condamnés suivirent leurs camarades.

Gerbier n'avait pas conscience d'avancer par lui-même. Le ressort qu'il avait senti se nouer en lui s'était détendu et le précipitait droit devant. Il pouvait encore réfléchir. Et il savait que cette course qui l'emmenait dans la direction de la butte ne servait à rien. Personne jamais n'était revenu vivant du champ de tir. Il n'y avait même pas de blessés. Les mitrailleurs connaissaient leur métier.

Des balles bourdonnèrent au-dessus de sa tête, contre ses flancs.

« Des balles pour rien, se dit Gerbier... Tireurs d'élite... Pour qu'on presse l'allure... Attendent distance plus méritoire... Grotesque de se fatiguer. » Et cependant, à chaque sifflement, Gerbier allongeait sa foulée. Son esprit devenait confus. Le corps l'emportait sur la pensée, bientôt il ne serait plus qu'un lapin fou de peur. Il s'interdisait de regarder la butte. Il ne voulait pas de cet espoir. Regarder la butte c'était regarder la mort, et il ne se sentait pas en état de mort... Tant qu'on pense on ne peut pas mourir. Mais le corps gagnait... gagnait toujours sur la pensée. Gerbier se rappela comment ce corps, contre lui-même, s'était détendu à Londres, à l'hôtel Ritz... Des pointes de bougies tremblèrent devant ses yeux... Le dîner chez la vieille lady avec le patron. Les pointes des bougies flamboyaient, flamboyaient, comme des soleils aigus.

Et puis ce fut l'obscurité. Une vague de fumée épaisse et noire s'étendit d'un bout à l'autre du champ de tir dans toute sa largeur. Un rideau sombre était tombé. Les oreilles de Gerbier bourdonnaient tellement qu'il n'entendit pas les explosions des grenades fumigènes. Mais parce que sa pensée était seulement à la limite de la rupture il comprit que ce brouillard profond lui était destiné. Et comme il était le seul qui n'avait jamais accepté l'état de mort, il fut le seul à utiliser le brouillard.

Les autres condamnés s'arrêtèrent net. Ils s'étaient abandonnés à leurs muscles pour un jeu animal. Le jeu cessait, leurs muscles ne les portaient plus. Gerbier, lui, donna tout son souffle, toute sa force. Maintenant il ne pensait plus du tout. Les rafales se suivaient, les rafales l'entouraient, mais les mitrailleurs ne pouvaient plus que tirer au jugé. Une balle lui arracha un lambeau de chair au bras. Une autre lui brûla la cuisse. Il courut plus vite. Il dépassa la butte. Derrière était le mur. Et sur ce mur, Gerbier vit... c'était certain... une corde...

Sans s'aider des pieds, sans sentir qu'il s'élevait à la force des poignets comme un gymnaste, Gerbier fut sur la crête du mur. À quelques centaines de mètres il vit... c'était certain... une voiture. Il sauta... il vola... Le Bison l'attendait, le moteur tournait, la voiture se mit à rouler. À l'intérieur il y avait Mathilde et Jean-François.

-:-

Le Bison conduisait très bien, très vite. Gerbier parlait, et Jean-François et Mathilde aussi. Jean-François disait que ce n'était pas difficile. Il avait toujours été bon lanceur de grenade au corps franc. L'important était de bien minuter l'action comme l'avait fait Mathilde. Et Mathilde disait que c'était aisé avec les renseignements qu'on avait eus.

Gerbier écoutait, répondait. Mais tout cela n'était que superficiel. Sans valeur. Une seule question, une question capitale obsédait l'esprit de Gerbier.

« Et si je n'avais pas couru ? »…

Jean-François lui demanda :

— Quelque chose qui ne va pas ? Les camarades qui sont restés ?

— Non, dit Gerbier.

Il ne pensait pas à ses compagnons. Il pensait à la figure minérale du lieutenant de S.S. et à ses yeux murés quand il tapotait sa cigarette sur son ongle, et qu'il était certain de faire courir Gerbier comme les autres à la manière d'un lapin affolé.

— Je me dégoûte de vivre, dit soudain Gerbier.

La voiture traversa un pont, puis un bois. Mais Gerbier voyait toujours le visage de l'officier de S.S., la cigarette, l'ongle du pouce. Il avait envie de gémir.

Jusque-là Gerbier avait été sûr de détester les Allemands avec une plénitude si parfaite qu'elle ne pouvait plus se grossir d'aucun apport. Et sûr également d'avoir épuisé toutes les ressources d'une haine qu'il chérissait. Or, il se sentait soudain dévoré par une fureur qu'il n'avait pas connue encore et qui dépassait et renouvelait toutes les autres. Mais gluante et malsaine et honteuse d'elle-même. La fureur de l'humiliation…

« Il a sali ma haine… » pensait Gerbier avec désespoir.

Son tourment dut entamer ses traits puisque Mathilde eut un mouvement dont elle paraissait incapable. Elle prit une main de Gerbier et la garda entre les siennes un instant. Gerbier ne sembla pas remarquer ce geste. Mais il en sut plus de gré à Mathilde que de lui avoir sauvé la vie.

8

LA FILLE DE MATHILDE

I

La petite maison était inhabitée depuis longtemps. Elle ne se distinguait en rien des pavillons bâtis aux alentours et serrés sur un lotissement de mauvaise qualité. Elle était seulement plus humide que les autres parce que son étroit jardin joignait par-derrière un terrain marécageux. Ce fut de ce côté que Gerbier arriva avec Le Bison dans la nuit qui suivit l'aventure du champ de tir. Gerbier portait une valise qui contenait des fiches et des documents. Le Bison était chargé d'un sac de vivres. Quand les deux hommes entrèrent sans bruit dans le pavillon, ils furent saisis par l'odeur de moisissure.

— C'est pas beau la sécurité, dit Le Bison.

Il déposa son sac dans la cuisine et s'en alla. Gerbier ferma soigneusement la porte qui, du jardin, menait à la petite maison moisie.

Il n'en était pas sorti depuis trois mois.

Les volets étaient restés clos. La porte de façade sur le chemin n'avait jamais été ouverte. Gerbier n'avait jamais allumé de feu (par chance le printemps était très précoce). Il ne s'était jamais servi de la lumière électrique, pour ne pas accroître les chiffres du compteur. Il travaillait à la clarté d'une lampe à carbure très protégée. Il mangeait froid. Une fois par semaine on lui apportait, avec le courrier, du pain et les conserves qu'on avait pu trouver au marché noir. Les dates et les heures de ces visites étaient fixées à l'avance. En dehors d'elles, Gerbier n'avait aucune communication à espérer avec l'extérieur. Le patron avait ordonné la prudence la plus farouche. Les portraits de Gerbier étaient publiés et affichés partout. La Gestapo avait promis une prime énorme aux dénonciateurs.

Quand les nuits étaient très noires, Gerbier allait dans le jardin. Mais il n'y passait que peu d'instants. Un chien aboyait, une porte claquait dans quelque pavillon voisin. Gerbier rentrait.

Il avait vécu trois mois sans laisser filtrer un reflet de vie.

II

Minuit approchait, Gerbier, déchaussé, allait de l'une à l'autre des deux chambres qui composaient le pavillon. La lampe au carbure éclairait tout juste un pan de table sur laquelle reposaient des papiers : plans, messages, notes. Le courrier était prêt. Gerbier ne savait plus que faire. Il marcha quelque temps encore. Puis il haussa les épaules, prit un paquet dc cartes et commença une réussite.

Une clé tourna doucement dans la serrure de la porte qui donnait sur le jardin. Gerbier arrêta sa réussite mais laissa les cartes en place de manière à reprendre le jeu plus tard. Il ferma les yeux.

« Le Bison, ou Jean-François ? se demanda-t-il. Si c'est Le Bison, les nouvelles de Mathilde seront… » Les lèvres sèches et dures de Gerbier se contractèrent, et il fronça son front en homme qui lutte contre une souffrance mentale.

— Je deviens un imbécile superstitieux, murmura Gerbier.

La porte du vestibule fut poussée sans bruit et une silhouette se dessina sur le seuil. Bien que l'ombre y fût très dense, Gerbier vit tout de suite que cette silhouette n'était pas celle de Jean-François ni du Bison. L'homme n'avait pas leur taille. Il portait des cheveux longs et son dos s'arrondissait légèrement. Gerbier se leva mais n'osa pas avancer. L'homme rit d'un rire naïf, tendre et presque silencieux.

— C'est... c'est vous, patron, chuchota Gerbier d'une voix incrédule.

Luc Jardie s'approcha de la table et chaque pas semblait former son visage. Gerbier posa ses mains sur les épaules de Jardie et le contempla sans ciller.

— Je voulais parler un peu avec vous, dit Luc Jardie. Le petit frère Jean m'a montré le chemin. Il fait le guet dehors.

Gerbier continuait de tenir Jardie par les épaules et ses doigts caressaient l'étoffe usée du veston.

« Les mâchoires et les yeux sont toujours fermes, pensa Jardie. Mais il n'est plus capable de son demi-sourire. »

Gerbier dit enfin :

— Le dernier lieu où je vous ai vu, patron, c'était en plein champ de tir. Je vous ai vu parmi des bougies. Vous vous souvenez, le dîner aux bougies quand nous étions à Londres ? J'étais en train de courir... Parce que j'ai couru comme les autres, vous savez… Je n'avais pas voulu chanter comme eux parce que j'avais trouvé une solution de la mort et je pensais à vous. Je n'ai pas chanté, mais j'ai couru... c'est lamentable...

— Je ne pense pas qu'il soit lamentable d'être un homme, dit Jardie en riant.

Gerbier ne parut pas l'entendre. Il laissa retomber ses bras et reprit :

— Aux interrogatoires je m'étais bien tenu pourtant. Il est vrai qu'on ne m'a pas trop maltraité. Je crois qu'ils sentent quand la matière n'est pas vulnérable. À moins qu'il y ait un signe sur les gens. Certains qui usent des précautions les plus poussées sont pris. Et d'autres, comme Le Bison ou votre frère, échappent toujours… Ils ont le signe.

Luc Jardie tourna son regard vers la réussite disposée sur la table.

— Je sais… je sais, dit Gerbier.

Il se frotta de nouveau le front et soudain brouilla les cartes.

— Par moments je pense que la prison était moins étouffante, dit-il. Il y avait à calculer mes réponses. Je cherchais des moyens d'évasion. J'écoutais les autres. Je parlais aux gardiens. Ici c'est de l'ouate. Une ouate mouillée, obscure. Les images et les pensées font le manège. Il y a l'obsession de perdre le contact. Je me rappelle un communiste dans la prison. Pas celui du champ de tir. Un autre. Il a été longtemps caché comme je le suis. Le camarade, le seul qu'il voyait, a été pris. Plus de liaison pendant des semaines. C'était pire que tout, disait-il. Je sais bien que chez nous le cloisonnement n'est pas aussi rigoureux. J'ai beaucoup réfléchi à la discipline des communistes…

— Gerbier, je voudrais savoir une chose, demanda Jardie avec amitié. Est-ce la solitude qui vous fait parler tant et si vite ? Ou voulez-vous éviter que nous pensions à Mathilde ?…

III

Jean-François était accroupi, invisible et immobile contre le mur du pavillon. À l'intérieur, son frère accomplissait une tâche inconnue de lui. Son frère…

« Qu'est-ce qu'il y a ? Pourquoi n'est-ce plus la même chose ? se demandait Jean-François. Qui a changé ? Lui ? Moi ?… »

Jean-François songea aux compagnons traqués, enfermés, défigurés, étranglés, fusillés. Et aussi aux réussites magnifiques, aux sabotages, aux attentats, aux journaux distribués par milliers, aux liaisons avec Londres, aux parachutages, aux embarquements, aux miracles de la tribu souterraine à laquelle il appartenait, martyrisée et victorieuse. Tout avait pris sa source et tout continuait d'être ordonné dans le petit hôtel de la Muette, avec son clavecin, sa vieille servante et ce frère dont Jean-François avait toujours su qu'il était sans défense, touchant, et un peu comique. Pour Jean-François il ne pouvait pas être le patron. Mais il ne pouvait plus être Saint-Luc.

Jean-François ne savait plus quel nom donner à l'homme qu'il venait de conduire jusqu'au pavillon.

IV

— Nous devons parler de Mathilde ce soir, dit Luc Jardie.

Gerbier rejeta la tête en arrière, comme s'il était trop près en même temps de Jardie et du cercle étroit de lumière qui venait de la lampe voilée.

— Nous le devons, répéta doucement Jardie.

— Pourquoi faire ? demanda Gerbier d'une voix brève et presque hostile. Il n'y a rien à dire pour le moment. J'attends les nouvelles. Le courrier ne peut plus tarder.

Luc Jardie s'assit près de la lampe. Gerbier également, mais hors de la zone de clarté. Ses doigts écornaient sans qu'il le sût le coin d'une des cartes qu'il avait brouillées. Puis il chercha une cigarette mais il n'en avait plus. Il épuisait toujours sa provision de tabac avant le retour du courrier.

— Les nouvelles seront les bienvenues, dit Luc Jardie. Mais j'aimerais auparavant revoir avec vous les données du problème comme nous faisions autrefois pour des questions moins humaines. Vous vous en souvenez ?

Gerbier se souvint… Le livre de Jardie… Le petit hôtel de la Muette… Les méditations partagées. Les leçons de savoir, de sagesse…

Sous la lampe étouffée, dans la chambre moisie, le visage de Jardie était le même qu'alors. Ce sourire si jeune et ces mèches blanches. Le dessin du front. Les yeux pensifs, chimériques.

— Comme vous voudrez, patron, dit Gerbier. Il se sentait de nouveau très libre d'esprit et capable de tout considérer avec sérénité.

— Parlez d'abord, demanda Jardie.

— Les faits s'enchaînent comme suit, dit Gerbier. Mathilde a été prise le 27 mai. On ne lui a fait aucun mal. Elle a trouvé le moyen de nous le faire savoir très vite. Et aussi qu'elle était gardée étroitement. Puis nous apprenons que les Allemands enquêtent sur le passé de Mathilde. La Gestapo retrouve sans peine la fiche anthropométrique établie après sa première arrestation. Les Allemands connaissent le vrai nom de Mathilde et le domicile de sa famille. Descente dans l'immeuble de la Porte d'Orléans. La Gestapo emmène la fille aînée.

Luc Jardie avait un peu incliné son front et enroulé autour de ses doigts les mèches blanches légères et bouclées qu'il avait près des tempes. Ne trouvant plus son regard Gerbier s'arrêta de parler. Jardie releva la tête mais continua de jouer avec ses cheveux.

— Il y a eu aussi la photographie, dit-il.

— Oui, dit Gerbier. C'est la seule faute que Mathilde ait commise pour sa sécurité. Elle a gardé sur elle cette image de ses enfants. Elle croyait l'avoir cachée d'une manière introuvable. Les fouilleuses de la Gestapo l'ont trouvée. Les Allemands ont senti tout de suite le point de rupture chez cette femme sans nerfs. D'autant plus que Mathilde, la Mathilde que nous connaissons, s'est mise à supplier qu'on lui laisse la photographie. C'est incroyable…

— C'est merveilleux, dit Jardie.

Puis il demanda :

— Vous avez vu la photographie ?

— Mathilde me l'a montrée une fois, dit Gerbier. Quelques enfants insignifiants et une jeune fille sans grande expression, mais fraîche, douce, propre.

Gerbier s'arrêta de nouveau.

— Alors ? demanda Jardie.

— Nous avons reçu un S.O.S. de Mathilde, dit Gerbier d'une voix plus basse. Les Allemands lui donnaient à choisir : Ou bien elle livrait tous les gens importants qu'elle connaissait chez nous, ou bien sa fille était envoyée en Pologne dans un bordel pour soldats revenus du front russe.

Gerbier, de nouveau, chercha en vain une cigarette. Jardie cessa de jouer avec ses cheveux, mit ses mains à plat sur les genoux et dit :

— Telles sont les données du problème. Je viens chercher la solution.

Gerbier écorna le coin d'une carte et puis d'une autre. Il dit :

— Mathilde peut s'évader.

Jardie secoua la tête.

— Vous savez quelque chose ? demanda Gerbier.

— Je ne sais rien sauf qu'elle ne *peut pas* s'évader, et que pas davantage elle ne peut se tuer. La Gestapo est tranquille. La fille répond de tout.

— Mathilde peut gagner du temps, dit Gerbier sans regarder Jardie.

— Combien de temps ?, demanda celui-ci.

Gerbier ne répondit pas. Il avait une envie de fumer effroyable.

— Le courrier n'arrivera jamais ce soir, dit-il avec fureur.

— Vous êtes impatient des nouvelles de Mathilde ou d'une cigarette ? demanda Jardie avec bonté.

Gerbier se leva brusquement et s'écria :

— Quand je pense à cette femme, à ce qu'elle était, à ce qu'elle a fait et à quoi elle est réduite… je ne veux plus réfléchir… je… Oh ! les salauds, les salauds…

— Pas si fort, Gerbier, dit Jardie, la maison est inhabitée.

Il prit doucement Gerbier par le poignet et le fit se rasseoir.

V

Jean-François sentit approcher Le Bison plutôt qu'il ne le vit ou l'entendit.

— Guillaume, chuchota Jean-François, n'entre pas tout de suite, il faut attendre un signe.

Le Bison vint s'accoter au mur près de Jean-François.

— Comment ça va ? lui demanda à l'oreille le jeune homme.

— Comme ça, dit Le Bison.

VI

Gerbier avait posé les deux coudes sur la table et son menton dans le creux de ses mains réunies. Il lui semblait emprisonner ainsi la fureur qui lui serrait la gorge et coinçait sa mâchoire inférieure. Il regarda longuement, fixement, le visage éclairé de Jardie. Il demanda :

— Comment, mais comment faites-vous pour ne pas trembler de haine contre ces salauds ? Est-ce que vraiment quand vous apprenez une histoire comme celle de la fille de Mathilde vous n'avez pas un seul instant le désir d'exterminer tout ce peuple, de le piétiner, de…

— Non, Gerbier, vraiment non, dit Luc Jardie. Réfléchissez un tout petit peu. Ce n'est pas un nouvel épisode, même affreux, dans un ordre connu qui va influencer le sentiment général qu'on peut avoir des hommes. Ce n'est pas le plus ou le moins qui peut changer une conception métaphysique. Tout ce que nous avons entrepris a été fait pour rester des hommes de pensée libre. La haine est une entrave pour penser librement. Je n'accepte pas la haine.

Jardie se mit à rire et ce fut sa figure et non plus la lampe qui sembla être le foyer lumineux dans la chambre.

— Je suis en train de tricher, reprit Jardie. Ce que je viens de vous dire est une construction de l'esprit.

Et une construction de l'esprit est toujours faite pour justifier un sentiment organique. La vérité est que j'aime les hommes, tout simplement. Et si je me suis mêlé de toutes nos histoires c'est seulement contre la part inhumaine qui existe chez certains d'entre eux.

Jardie rit de nouveau.

— Vous savez, il m'arrive parfois, dit-il, d'éprouver l'envie de tuer quand j'entends massacrer du Mozart ou du Beethoven ! Est-ce que c'est de la haine ?

Il enroula une mèche blanche autour d'un doigt.

— Je me rappelle une peur que j'ai eue dans le métro, dit pensivement Jardie. Un homme est venu s'asseoir en face de moi, avec une petite barbiche, une épaule difforme et un lorgnon fumé. Il s'est mis à me regarder à travers ce lorgnon avec une insistance et une expression singulières. La police ne m'avait jamais inquiété. Vous étiez seul à connaître en même temps mon activité réelle et ma véritable identité. Mais tout de même j'ai eu peur. On ne sait jamais. De temps en temps je levais la tête et toujours je rencontrais ce regard. Et puis, une fois, l'homme m'a cligné de l'œil. Et j'ai reconnu Thomas, mon cher Thomas, vous savez, le physicien, mon patron de Sorbonne qui a été exécuté par la suite. Oui, oui, Thomas lui-même, que je n'avais pas vu depuis la guerre et qui s'était admirablement maquillé. J'ai eu un mouvement pour l'embrasser, mais il a levé un doigt et j'ai compris que je ne devais pas le reconnaître. Alors, nous sommes restés face à face à nous regarder. De temps en temps il me clignait de l'œil derrière ses verres fumés. Puis il est descendu à une station. Et je ne l'ai plus revu.

Jardie laissa retomber ses mains sur ses genoux et ferma à demi ses paupières.

— C'est le premier clin d'œil qui m'est resté dans la mémoire, reprit-il. Ce clin d'œil qui rétablissait tout entre deux hommes. J'ai souvent rêvé qu'un jour je pourrais adresser un clin d'œil pareil à un Allemand.

— Et je me rappelle, moi, dit Gerbier en comprimant sauvagement sa mâchoire, je me rappelle le regard du dernier Allemand que j'ai vu…

— Eh bien ? demanda Jardie.

— C'étaient des yeux en peau de serpent, dit Gerbier. Les yeux du S.S. qui m'a forcé à courir. Je vous jure que si vous aviez été à ma place…

— Mais à votre place, mon vieux Gerbier, je n'aurais pas hésité une seconde, s'écria Jardie, je me serais sauvé comme un lapin, comme un pauvre lapin, et sans aucune espèce de honte, et je n'aurais pas vu, comme vous, mon patron ni les bougies de Londres. J'aurais eu tellement peur…

Jardie se mit à rire avec la plénitude silencieuse qui faisait retourner son visage à l'adolescence. Puis il dit sérieusement :

— Vous ne savez pas, Gerbier, à quel point vous êtes merveilleux.

Gerbier se mit à marcher à travers la pièce.

— Nous voilà très loin de la solution de notre problème, dit soudain Jardie.

— Elle dépend du courrier, dit Gerbier.

— Le Bison doit être arrivé, mais j'avais besoin de parler un peu longuement avec vous, dit Jardie.

Gerbier alla vers le vestibule.

— Il est inutile que Le Bison sache que je suis ici, dit Jardie. Il passa dans la chambre voisine et ferma doucement la porte.

VII

Le Bison entra, et, derrière lui, Jean-François. Le Bison donna un paquet de cigarettes à Gerbier.

— Vous la sautez, j'en suis sûr, dit-il.

Gerbier ne répondit pas. Ses mains tremblaient un peu en éventrant le papier bleuté. Il aspira les premières bouffées avec une avidité famélique. Puis il demanda : « Mathilde ? »

Le Bison qui avait regardé fumer Gerbier avec une sorte de complicité amicale et grossière répandue sur toute sa face massive, devint d'un seul coup inaccessible.

— Eh bien ? demanda impatiemment Gerbier.

— Je sais rien, dit Le Bison.

— Et votre équipe de filature ? demanda Gerbier.

Le Bison inclina légèrement vers le sol son front étroit et ravagé de rides profondes.

— Je sais rien, dit-il.

Gerbier chercha ses yeux et ne put les trouver.

Le Bison mit son poing sous son nez écrasé et dit entre ses dents et entre ses doigts serrés :

— Je sais rien. Tout est dans le courrier.

Il tendit des feuilles de papier pelure couvertes d'une écriture très fine et codée. Gerbier alluma une cigarette à celle qui venait de se consumer dans sa bouche et se mit au travail. Jean-François et Le Bison étaient debout et silencieux dans l'ombre. Cela dura longtemps. Enfin Gerbier releva la tête. Elle se trouvait juste sous la lampe.

Le cercle de lumière accentua d'une façon singulière les traits soudain aiguisés de son visage.

— Mathilde a été relâchée avant-hier et Gerbonnel, Arnaud et Roux ont été arrêtés, dit Gerbier.

Gerbier se tourna vers Le Bison et lui demanda :

— D'accord ?...

— Puisque c'est dans le courrier, dit Le Bison.

Sa voix était encore plus rugueuse qu'à l'ordinaire.

Gerbier se tourna vers Jean-François :

— Vous le saviez..., demanda-t-il.

— Je n'étais pas chargé du rapport, dit Jean-François.

Gerbier sentit que ces deux hommes, les plus fidèles, les plus sûrs, les plus durs, se dérobaient. Et il sentit qu'à leur place il aurait eu la même attitude. C'est précisément pourquoi il fut libéré soudain de tout débat intérieur, de tout scrupule et de toute pitié. Il dit au Bison posément et d'un ton auquel on obéissait toujours :

— Mathilde est à liquider d'extrême urgence et par tous les moyens...

— Ce n'est pas vrai, dit Le Bison. Il secoua son front bas et poursuivit d'une haleine :

— Non, je ne toucherai pas à Madame Mathilde. J'ai travaillé avec elle. J'ai eu la mise sauvée par elle. Je lui ai vue nettoyer les Gestapo à la mitraillette. C'est une grande femme. Les hommes, quand il le faut... tout ce que vous voudrez... Mais à Madame Mathilde, et moi en vie... jamais.

Gerbier ralluma une cigarette et dit :

— Il n'y a pas à discuter, elle doit disparaître. Elle disparaîtra...

— Vous ne ferez pas ça, dit Le Bison.

— Nous avons d'autres tueurs que vous, dit Gerbier, en haussant les épaules. Et au besoin, ce sera moi...

— Vous ne le ferez pas, chuchota Le Bison, vous n'avez pas le droit... je vous dis. Sur le champ de tir, vous auriez eu beau courir comme un champion, vous seriez tout de même à la fosse commune en ce moment, sans Madame Mathilde qui a trouvé le coup des grenades.

Le visage de Gerbier perdit toute expression. Le Bison se rapprocha de Gerbier. Sa carrure terrible émergea de l'ombre.

— Vous ne ferez pas ça, dit-il. Qu'elle nous vende tous, si elle veut. Elle m'a défendu. Elle vous a défendu. Maintenant elle défend sa fille. C'est pas à nous de juger.

Le Bison parlait très bas. Sa voix était dangereusement suppliante.

— Assez..., dit Gerbier. La question est réglée. Puisque vous ne voulez pas, je vais mettre une note dans le courrier.

Le Bison parla plus bas encore :

— Si vous êtes assez lâche pour le faire, je vous descendrai avant, dit-il.

Gerbier se mit à écrire.

Près de lui, sous la lampe, la figure du Bison prit un tel accent que Jean-François lui saisit le poignet.

— Tu ne vas pas toucher à un chef, murmura-t-il.

— Va-t'en, lui dit Le Bison, et va-t'en vite... Tu n'as rien à m'apprendre. Tu jouais encore aux billes que je commandais des hommes de la Légion. Tire-toi de mes yeux, je te dis... Ou vous y passez tous les deux.

Jean-François connaissait la puissance musculaire du Bison. Il recula et prit sa matraque de caoutchouc. La main de Gerbier, dans le tiroir de la table, s'était posée sur un revolver.

VIII

— Je crois qu'on a besoin d'un homme qui ignore tout des armes dans cette maison inhabitée, dit Luc Jardie.

Gerbier ne se retourna pas. Jean-François par réflexe vint se ranger près de son frère. Le Bison recula au fond de l'ombre. Il n'avait vu Jardie qu'une fois mais il savait que c'était le patron.

— Mon ami, asseyez-vous, lui dit Jardie. Et toi aussi, dit-il à Jean-François.

Jardie prit une chaise et ajouta :

— Et allumez une cigarette. Cela fait beaucoup de bien, assure-t-on. N'est-ce pas, Gerbier ?...

Celui-ci se retourna enfin.

— Vous avez tout entendu ? demanda-t-il.

Jardie ne lui répondit pas et s'adressa au Bison.

— Vous avez raison, dit-il, Mathilde est une femme merveilleuse. Plus encore que vous ne le pensez... Mais nous allons la tuer.

Le Bison murmura :

— Ça n'est pas possible.

— Mais si, mais si... dit Jardie. Vous allez voir, mon ami. Nous allons tuer Mathilde parce qu'elle nous en prie.

— Elle vous l'a fait savoir ? demanda vivement Le Bison.

— Non, mais c'est signé tout de même, dit Jardie. Réfléchissez un tout petit peu. Si Mathilde avait cherché simplement à sauver sa fille, elle n'avait qu'à livrer une liste de noms et d'adresses. Vous connaissez sa mémoire...

— Formidable, dit Le Bison.

— Bien, dit Jardie. Au lieu de faire cela Mathilde raconte que nos gens changent sans cesse de domicile...

Qu'il lui faut retrouver les liaisons... n'importe quoi. Bref, elle se fait mettre en liberté. C'est assez clair ?

Le Bison ne répondit pas. Il balançait la tête de droite à gauche et de gauche à droite.

— Supposez que vous êtes à la place de Mathilde, que vous êtes OBLIGÉ de livrer vos amis, et que vous n'avez pas le droit au suicide...

— Je voudrais qu'on me descende, c'est juste, dit lentement Le Bison.

Jardie se mit à rire.

— Alors, vous pensez que vous êtes plus courageux et meilleur que Mathilde ? demanda-t-il.

Le Bison devint très rouge :

— Faut m'excuser, patron, dit-il.

— Bien, dit Jardie. Vous prendrez une voiture allemande, le petit Jean conduira, et je serai avec vous derrière.

Gerbier fit un mouvement si vif que la lampe vacilla.

— Patron, qu'est-ce que c'est que cette folie ? demanda-t-il sèchement.

— Je suis sûr que Mathilde aura plaisir à me voir, dit Jardie.

Jean-François murmura :

— Je t'en prie, ce n'est pas ta place, Saint-Luc.

Parce que son frère avait retrouvé le vieux surnom, Jardie lui mit la main sur l'épaule et il dit en riant, avec plus d'amitié encore qu'à l'ordinaire :

— C'est un ordre.

— Il n'y avait pas besoin de ça, patron, dit Le Bison.

Gerbier rédigea le courrier. Le Bison l'emporta. Jean-François sortit sur un signe de son frère.

IX

— Vous êtes sûr de ce que vous avez avancé au sujet de Mathilde ? demanda Gerbier.

— Est-ce que je sais…, dit Jardie.

Il roula une mèche blanche entre ses doigts.

— Il est possible que cette hypothèse soit juste, reprit-il. Il est possible aussi que Mathilde ait voulu revoir ses enfants et qu'il lui soit devenu plus difficile de mourir. C'est ce que je veux apprendre.

Gerbier frissonna et dit tout bas :

— Vous, dans cette voiture de tueurs… Il n'y a plus rien de sacré en ce monde.

Il ne pensait même pas à dissimuler l'agitation de sa mâchoire inférieure.

— Je suis resté avec vous pour le plus important, dit Jardie. Londres demande un homme de chez nous pour quelques consultations. Vous serez du premier voyage.

Gerbier écorna le coin d'une carte.

— C'est un congé de convalescence ? demanda-t-il.

Jardie se mit à rire et dit :

— Vous continuez à ne pas vouloir courir, Gerbier ?…

— Oh ! cette fois je veux bien, dit Gerbier.

Il sentait une joie misérable et toute-puissante circuler à travers son corps.

X

Quand Mathilde vit la voiture des tueurs s'approcher d'elle, Jardie ne put rien distinguer sur son visage.

Le Bison tira comme à l'ordinaire, sans défaut.

Et Jean-François sut dépister la poursuite.

Gerbier a passé trois semaines à Londres.

Il est reparti pour la France bien portant et très calme.

Il avait retrouvé l'usage de son demi-sourire.

Londres, septembre 1943.

TABLE DES MATIÈRES

Composé par Nord Compo
à Villeneuve-d'Ascq (Nord)

Imprimé en Allemagne par
GGP Media GmbH en avril 2015

POCKET – 12, avenue d'Italie – 75627 Paris cedex 13

N° d'impression : 62949
Dépôt légal : 3eme trimestre 1972
Suite du premier tirage : avril 2015
S11500/18